D1572443

Buzón de tiempo

Mario Benedetti

Buzón de tiempo

BUZÓN DE TIEMPO
D.R. © Mario Benedetti, 1999

ALFAGUARA MR

De esta edición:
D.R. © 1999, Aguilar, Altea, Taurus, Alfaguara, S.A. de C.V.
Av. Universidad 767, Col. del Valle
México, 03100, D.F. Teléfono (5) 688 8966
www.alfaguara.com

- Distribuidora y Editora Aguilar, Altea, Taurus, Alfaguara, S.A.
  Calle 80 Núm. 10-23, Santafe de Bogotá, Colombia.
- Santillana S.A.
  Torrelaguna 60-28043. Madrid.
- Santillana S.A., Av. San Felipe 731. Lima.
- Editorial Santillana S. A.
  Av. Rómulo Gallegos, Edif. Zulia 1er. piso
  Boleita Nte. Caracas 1071. Venezuela.
- Editorial Santillana Inc.
  P.O. Box 5462 Hato Rey, Puerto Rico, 00919.
- Santillana Publishing Company Inc.
  2043 N. W. 87th Avenue Miami, Fl., 33172 USA.
- Ediciones Santillana S.A. (ROU)
  Javier de Viana 2350, Montevideo 11200, Uruguay.
- Aguilar, Altea, Taurus, Alfaguara, S.A.
  Beazley 3860, 1437. Buenos Aires.
- Aguilar Chilena de Ediciones Ltda.
  Dr. Aníbal Ariztía 1444, Providencia Santiago de Chile
- Santillana de Costa Rica, S.A.
  Apdo. Postal 878-1150, San José 1671-2050 Costa Rica.

Primera edición en México: agosto de 1999
Segunda reimpresión: febrero de 2000

ISBN: 968-19-0614-4

D.R. © Diseño:
Proyecto de Enric Satué

D.R. © Cubierta: Carolina Schavelzon

Impreso en México

Índice

SEÑALES DE HUMO

BUZÓN DE TIEMPO

LAS ESTACIONES

COLOFÓN

A los amigos y compañeros
de la Casa de las Américas
en sus cuarenta.

Il tempo tutto toglie e tutto dà;
ogni cosa si muta, nulla s'annichila.
(El tiempo todo lo quita y todo lo da;
todo cambia, nada se aniquila.)

GIORDANO BRUNO

Si no puedes soñar golpea los baúles
polvorientos.

FAYAD JAMIS

Epistola enim non erubescit.
(Una carta no se ruboriza.)

CICERÓN

Señales de humo

Señales de humo

Cuando estás en el filo de lo oscuro
y le rindes honor desde tus huesos
cuando el alma purísima del ocio
pide socorro al universo inútil
cuando subes y bajas del dolor
mostrando cicatrices de hace tiempo
cuando en tu ventanal está el otoño
aún no te despidas / todo es nada /
son señales de humo / apenas eso

tu mirada de viaje o de desiertos
se vuelve un manantial indescifrable
y el silencio / tu miedo más valiente /
se va con los delfines de la noche
o con los pajaritos de la aurora /
de todo quedan huellas / pistas / trazas
muescas / indicios / signos / apariencias
pero no te preocupes / todo es nada
son señales de humo / apenas eso

no obstante en esas claves se condensa
una vieja dulzura atormentada
el vuelo de las hojas que pasaron

la nube que es de ámbar o algodón
el amor que carece de palabras
los barros del recuerdo / la lujuria /
o sea que los signos en el aire
son señales de humo / pero el humo
lleva consigo un corazón de fuego

Fin de semana

Esperó al padre en la puerta de la escuela. Como todos los viernes. A partir del divorcio, Fernando vivía con su madre, pero los fines de semana eran del padre. Antes de cualquier dictamen impuesto, ellos lo habían resuelto amigablemente, sobre todo para no herir al hijo con enfrentamientos inútiles. Nunca llegaba en hora, pero esta vez demoró más que de costumbre. Mientras compartió la espera con otros chicos, Fernando no se inquietó, pero uno a uno los fueron recogiendo y al final sólo quedaron él y el portero, un tipo que además detestaba a los escolares.

Marcelo apareció por fin, casi corriendo. Fernando se resignó a besar la mejilla, paterna y sudada. Eso no le gustaba, porque la boca le quedaba húmeda y le habían enseñado que no era correcto limpiarse con el puño.

—¿Estabas nervioso?

—No.

—Por favor, no le cuentes a tu madre sobre esta demora. Digo, para que no se preocupe. La verdad es que no me podía sacar de encima a un cliente que es un plomo.

No le cuentes a tu madre. Fernando no entendía por qué no decía: No le cuentes a Luisa.

Tomaron un taxi hasta el restaurante de todos los viernes. Fernando no precisaba leer el menú. Siempre había sido fiel al churrasco con ensalada.

—¿No querés pedir otra cosa?

—No.

—Yo me aburriría pidiendo siempre lo mismo.

—A mí me gusta. Por eso no me aburro.

Marcelo cumplió con el deber paterno de preguntarle por sus clases, sus maestras, sus compañeros. Como eran las preguntas de siempre, Fernando apeló a las respuestas de siempre.

—Y de todo lo que vas aprendiendo, ¿qué es lo que más te gusta?

—Las cuentas y los cuentos.

Como acompañamiento de un humor tan primario, Fernando esbozó su primera sonrisa de este viernes, y el padre no tuvo más remedio que reírse.

En el postre tampoco hubo novedad: helado de vainilla.

—Y tu madre ¿cómo está?

—Sola. Está sola.

—Bueno, no tan sola. Está contigo ¿no?

—Sí, claro.

Llegaron al lindo apartamento sobre la Rambla y Fernando fue a su cuarto. Marcelo le había reservado ese espacio, donde, además de la cama y otros muebles, había juguetes (un mecano, un trencito eléctrico) de uso y disfrute solitarios. Y asimismo un pequeño televisor. También en casa de su madre tenía un ambiente propio, claro que con otros juguetes. A Fernando le gustaba esa doble franja de sus entretenimientos. Era como saltar de una región a otra, y viceversa.

Estuvo un rato jugando con el mecano (construyó algo que, si se lo miraba con buena voluntad, podía parecerse a un molino), vio en la tele un documental sobre las ardillas, dormitó un rato, así hasta que Marcelo lo llamó desde la terraza.

Allí lo esperaba una novedad: una muchacha, alta, rubia y con el pelo suelto, de vaqueros, que a Fernando le pareció linda y simpática.

—Fernando —dijo el padre—. Ésta es Inés, una buena amiga mía, que también va a ser una buena amiga tuya.

La buena amiga sólo dijo ¡hola!, pero le tomó de un brazo y lo acercó a su mecedora. Lo besó con suavidad y Fernando advirtió con alivio que aquella mejilla no estaba sudada. A él le cayó bien que Inés no le interrogara sobre la escuela, las clases, las maestras y los otros alumnos. En cambio, le hizo comentarios sobre películas y sobre fútbol. Le pareció increíble que una mujer supiera tanto de fútbol. Además, como al pasar, dijo que era hincha de Nacional. También él era bolsiyudo. Un buen comienzo. Marcelo, en cambio, era de Peñarol, pero asistía satisfecho a aquel estreno, como el autor clandestino de un buen libreto.

Inés había traído unos paquetes con comida, así que cenaron en casa. Después vieron un poco de televisión (noticias sobre hambrunas, inundaciones y atentados), pero como a Fernando se le cerraban los ojos, el padre lo mandó a la cama, no sin antes recomendarle que se lavara los dientes.

A medianoche lo despertó un ruido procedente del cuarto de baño. Alguien había tirado la cadena. Como la puerta de su cuarto estaba entornada, Fernando pudo espiar desde allí. Inés, de camisón, salió del baño y entró en la habitación de Marcelo.

Fernando volvió a su cama y durante un buen rato estuvo desvelado. Inés era linda y simpática y además de Nacional. Pero, antes de dormirse, Fernando decidió reforzar su lealtad a Luisa. A su madre no le importaba el fútbol, pero aun así a él le parecía más linda y más simpática.

El sábado y el domingo, Fernando disfrutó de su padre y éste de Fernando. No era el momento de hacer el balance de la situación. Como si hubiera concluido el guión de la película, Inés no habló más de fútbol. Estaba tan callada, que en la tarde del domingo Marcelo se le acercó, le acarició el lindo pelo y le preguntó si pasaba algo.

—Nada importante —dijo ella—. Sólo que tengo que acostumbrarme.

Lo dijo en un murmullo, sólo para Marcelo, pero Fernando la escuchó (la abuela siempre decía: «este chico tiene un oído de tísico») y llegó a la conclusión de que también él tenía que acostumbrarse. ¿Se acostumbraría?

El domingo a la noche, Marcelo reintegró al chico al ámbito materno. Llamó desde abajo y cuando oyó algo parecido a la voz de su ex mujer, dijo: «Luisa, aquí te dejo a Fernando. Chau». «Gracias. Chau», dijo el intercomunicador, más afónico que de costumbre.

Fernando subió en el ascensor hasta el sexto piso. Allí lo esperaba Luisa. Lo besó, tenía la cara con un poco de pancake, pero a él no le importó.

Un rato después, ella le hizo un jugo de naranja. De pronto contempló a Fernando con curiosidad. Pensó que era absurdo, pero le pareció que de algún modo su hijo había crecido en sólo 48 horas.

Sólo por decir algo, Luisa preguntó:

—Y tu padre ¿cómo está?

Fernando pensó: ella tampoco dice «Marcelo» sino «tu padre». Tragó saliva antes de responder:

—Solo. Está solo.

Conciliar el sueño

Lo que ocurre, doctor, es que en mi caso los sueños vienen por ciclos temáticos. Hubo una época en que soñaba con inundaciones. De pronto los ríos se desbordaban y anegaban los campos, las calles, las casas y hasta mi propia cama. Fíjese que en sueños aprendí a nadar y gracias a eso sobreviví a las catástrofes naturales. Lamentablemente, esa habilidad tuvo una vigencia sólo onírica, ya que un tiempo después pretendí ejercerla, totalmente despierto, en la piscina de un hotel y estuve a punto de ahogarme.

Luego vino un período en que soñé con aviones. Más bien, con un solo avión, porque siempre era el mismo. La azafata era feúcha y me trataba mal. A todos les daba champán, menos a mí. Le pregunté por qué y ella me miró con un rencor largamente programado y me contestó: «Vos bien sabés por qué». Me sorprendió tanto aquel tuteo que casi me despierto. Además, no imaginaba a qué podía referirse. En esa duda estaba cuando el avión cayó en un pozo de aire y la azafata feúcha se desparramó en el pasillo, de tal manera que la minifalda se le subió y pude comprobar que abajo no llevaba nada. Fue precisamente ahí que me desperté, y, para mi sorpresa, no estaba en mi cama de siempre sino en un avión, fila 7 asiento D, y una azafata con rostro de Gioconda me ofrecía en inglés básico una copa de champán.

Como ve, doctor, a veces los sueños son mejores que la realidad y también viceversa. ¿Recuerda lo que dijo Kant? «El sueño es un arte poético involuntario.»

En otra etapa soñé reiteradamente con hijos. Hijos que eran míos. Yo, que soy soltero y no los tengo ni siquiera naturales. Con el mundo como está, me parece un acto irresponsable concebir nuevos seres. ¿Usted tiene hijos? ¿Cinco? Excuse me. A veces digo cada pavada.

Los niños de mi sueño eran bastante pequeños. Algunos gateaban y otros se pasaban la vida en el baño. Al parecer, eran huérfanos de madre, ya que ella jamás aparecía y los niños no habían aprendido a decir mamá. En realidad, tampoco me decían papá, sino que en su media lengua me llamaban «turco». Tan luego a mí, que vengo de abuelos coruñeses y bisabuelos lucenses. «Turco, vení», «Turco, quero la papa», «Turco, me hice pipí». En uno de esos sueños, bajaba yo por una escalera medio rota, y zas, me caí. Entonces el mayorcito de mis nenes me miró sin piedad y dijo: «Turco, jodéte».

Ya era demasiado, así que desperté de apuro a mi realidad sin angelitos.

En un ciclo posterior de fútbol soñado, siempre jugué de guardameta o golero o portero o *goalkeeper* o arquero. Cuántos nombres para una sola calamidad. Siempre había llovido antes del partido, así que las canchas estaban húmedas y era inevitable que frente a la portería se formara un laguito. Entonces aparecía algún delantero que me fusilaba con ganas, y en primera instancia yo atajaba, pero en segunda instancia la pelota mojada se escabullía de mis guantes y pasaba muy oronda la línea del gol. A esa altura del partido (nunca mejor dicho), yo anhelaba con fervor despertarme, pero todavía me faltaba escuchar cómo la tribuna a mis espaldas me gritaba unánimemente: traidor, vendido, cuánto te pagaron y otras menudencias.

En los últimos tiempos mis aventuras nocturnas han sido invadidas por el cine. No por el cine de ahora, tan venido a menos, sino por el de antes, aquel que nos conmovía y se afincaba en nuestras vidas con rostros y actitudes que eran paradigmas. Yo me dedico a soñar con actrices. Y qué actrices: digamos Marilyn Monroe, Claudia Cardinale, Harriet Andersson, Sonia Braga, Catherine Deneuve, Anouk Aimée, Liv Ullmann, Glenda Jackson y otras maravillas.

(A los actores, mi Morfeo no les otorga visa.) Como ve, doctor, la mayoría son veteranas o ya no están, pero yo las sueño tal como aparecían en las películas de entonces. Verbigracia, cuando le digo Claudia Cardinale, no se trata de la de ahora (que no está mal) sino la de *La ragazza con la valiglia,* cuando tenía 21. Marilyn, por ejemplo, se me acerca y me dice en un tono tiernamente confidencial: «I don't love Kennedy. I love you. Only you». Sepa usted que en mis sueños las actrices hablan a veces en versión subtitulada y otras veces dobladas al castellano. Yo prefiero los subtítulos, ya que una voz como la de Glenda Jackson o la de Catherine Deneuve son insustituibles.

Bueno, en realidad vine a consultarle porque anoche soñé con Anouk Aimée, no la de ahora (que tampoco está mal) sino la de *Montparnasse 19,* cuando tenía unos fabulosos 26 años. No piense mal. No la toqué ni me tocó. Simplemente se asomó por una ventana de mi estudio y sólo dijo (versión doblada): «Mañana de noche vendré a verte, pero no a tu estudio sino a tu cama. No lo olvides». Cómo voy a olvidarlo. Lo que yo quisiera saber, doctor, es si los preservativos que compro en la farmacia me servirán en sueños. Porque ¿sabe? no quisiera dejarla embarazada.

Jacinto

Cuando Ludwig Kesten llegó de Alemania, sus tíos, radicados desde 1950 en Paysandú, quedaron asombrados de su buen aspecto. Pero en particular fue su prima, Gretel, la que lo encontró guapísimo sin atenuantes. De aspecto fornido, rubio, ojos azules, casi siempre sonriente, su presencia generaba simpatía. Ésa era la faceta positiva; la negativa, que era sordomudo. De nacimiento. Y además de sordomudo, huérfano. Hijo único, sus padres habían estado muy enfermos en los últimos años. Él, con Alzheimer; ella, con una grave y misteriosa dolencia que ningún médico pudo etiquetar. Cuando él murió, su mujer le sobrevivió unos pocos meses. No tenían otros familiares en Munich, donde siempre habían residido; tampoco en el resto de Alemania.

Los parientes germano-sanduceros recibieron un día una inesperada carta de un vecino muniqués, que les ponía al tanto, con todo detalle, de la desgraciada historia, y les planteaba la situación del muchacho, ahora veinteañero: debido a sus notorias carencias, era in-

capaz de trabajar regularmente e incluso de sobrevivir en tan precarias condiciones.

Los Kesten se conmovieron con el caso
(después de todo, era alguien de su sangre) y gracias a la solidaria intervención del buen vecino,
le enviaron un pasaje de Iberia. Fue ese mismo
vecino quien lo llevó al aeropuerto, virtualmente
lo colocó en el vuelo IB3631, después de las re-
comendaciones a la azafata jefa (tenía que cambiar de avión en Buenos Aires), y un 20 de febrero Ludwig desembarcó en el aeropuerto de
Carrasco, donde sus tíos y su prima le esperaban.
A pesar de que tenían fotos de Ludwig, más bien
lo reconocieron por su andar sin rumbo y su
desconcierto. Pidieron (y les fue concedida) autorización para entrar en la zona de llegada de
los pasajeros, y allí se juntaron con él. Ludwig
sonrió por vez primera de este lado del Atlán-
tico, y todos viajaron de inmediato a Paysandú
con la nueva incorporación al clan familiar.

La integración no fue fácil. Ludwig se
comunicaba a través de una pizarra, pero sólo
en alemán, una lengua que por supuesto domi-
naban sus tíos, pero no su prima. Los Kesten
eran propietarios de una hermosa finca (casi una
estancia) en el interior del departamento, con
prolijos campos de pastoreo y adecuadas zonas
agrícolas. La situación económica de la familia
era holgada y se congratulaban de haber dejado

la Alemania de posguerra y de haberse decidido (gracias a los consejos de varios compatriotas) por un país pequeño pero acogedor como Uruguay.

Siempre acompañado por algún familiar, Ludwig solía ir al campo y se quedaba como arrobado contemplando aquellas verdes llanuras, con sus vacas tranquilas, casi inmóviles. Sólo mugían a la hora del *Angelus*, pero él no se enteraba de esa tristeza. Algo hacía (o trataba de hacer) en la casa. Al menos, tendía y destendía su cama. A veces intentaba barrer la terraza, pero la tía le quitaba la escoba. ¿Para qué estaban las dos muchachas, que se encargaban de la comida y la limpieza?

Tenía buen apetito y disfrutaba comiendo. Su prima Gretel estaba tratando, con ayuda de una pizarra y también de un pizarrón, de enseñarle un poco de castellano. Pero no era fácil. Quien no oye ni habla, carece del goce del lenguaje, y Ludwig se aburría, aunque le gustaba que su linda prima le dedicara un poco de su tiempo.

Así hasta que un día el tío se apareció con un diario porteño y lo desplegó sobre la mesa del comedor. En Buenos Aires, un hipnotizador italiano, Luciano Pozzi, en el marco de un conocido programa de televisión, le había devuelto el habla (aunque no el oído) a un

sordomudo. De inmediato hubo un conciliá-
bulo de familia y se resolvió por unanimidad
viajar a Buenos Aires, eso sí de inmediato, antes de que el mago regresara a Europa.

Y allá fueron. Ludwig no sabía muy
bien cuál era el motivo del viaje, pero las miradas y los palmoteos de sus parientes, le deja-
ron entrever que algo tenía que ver con él. Antes
del traslado, y para ir sobre seguro, habían te-
lefoneado al canal argentino y arreglado la fe-
cha y la hora de la comparecencia de Ludwig
en el programa de Luciano Pozzi, vedette del
momento.

Como siempre, la sala estaba de bote en
bote. Luciano situó a Ludwig en una silla de
respaldo duramente vertical.

—Como ustedes saben, este atractivo
joven es sordomudo. Al menos hoy, no estoy
en condiciones de solucionar su sordera, pero
sí intentaré devolverle el habla.

Ludwig seguía los movimientos de Luciano con una mirada que tenía algo de curiosidad, pero también algo de temor. Por fin el
presunto mago acercó sus manos a los ojos del
muchacho, hasta que éste bajó los párpados.

—Ahora duerme —dijo Luciano—. Tenemos que ir progresando de a poco. Cuando
despierte no se largará a conversar conmigo o con
ustedes. Más bien dirá una sola palabra. Em-

pezará de a poco, ya se los dije. Bien, estoy tratando de que concentre toda su atención en el nombre de una planta liliácea, de flores acampanadas. O sea, que inaugure el habla con algo poético. Cuando yo lo despierte, él dirá: Jacinto.

Luciano volvió a situar sus manos frente a los ojos de Ludwig, que de pronto se abrieron, atónitos. El hipnotizador, de espaldas al público y señalando al joven, dijo:

—A ver, Ludwig, dinos algo.

Por supuesto, Ludwig no oyó el mandato, pero eso estaba previsto. Entonces Luciano señaló su propia boca con su dedo índice.

—Ja-cin-to —balbuceó audiblemente Ludwig.

El aplauso fue atronador. Ludwig estaba sorprendido. No oía, pero sí veía los aplausos. Una vez más abrió la boca y dijo, ahora con más soltura: Jacinto. Otra ovación.

Toda la familia Kesten subió al escenario para abrazar al mago. Luego partieron nuevamente a Paysandú. Ludwig venía contento y de vez en cuando decía: Jacinto.

No obstante, poco a poco la euforia inicial se fue calmando, porque Ludwig nunca aprendió una segunda palabra. Luciano Pozzi regresó a su Italia, vinieron otros hipnotizadores y la familia Kesten siempre aparecía con el pariente sordomudo. Varios de esos magos venían precedidos de cierta fama, pero ninguno de ellos consiguió que Ludwig pronunciara una segunda palabra.

Ahora, gracias a los buenos oficios de Gretel y la pizarra, se manejaba mejor con el idioma del país. Cuando alguna vez (y eso acontecía bastante a menudo) se quedaban solos en la casa campestre, Gretel no sólo le daba clases de idioma; también le enseñaba a hacer el amor. Él aprendió con rapidez, y como la discreción estaba asegurada, al culminar el acto ella aullaba «¡mi amor!», pero su amor no la oía. Sólo la miraba con ternura y decía: «Jacinto».

Como resultado de esas fiestas, Gretel quedó embarazada, y antes aun de enfrentar a sus padres con semejante noticia, se la escribió a Ludwig en la pizarra. La reacción del muchacho fue explosiva y radiante. Por lo pronto, dio varios atléticos saltos de júbilo. Luego, Gretel y él terminaron abrazados, besándose y besándose en medio de un doble llanto de alegría.

Después Ludwig/Jacinto se separó suavemente de Gretel, salió al jardín que atardecía, y mirando hacia la única nube que proponía el cielo, abrió los brazos y dijo: «Niño, ni-ño».

Cambalache

Aquel equipo de fútbol, rioplatense (no daré más detalles ya que lo que importa es la anécdota y no el nombre de los actores), llegó a Europa sólo 24 horas antes de su primer partido con una de las más prestigiosas formaciones del Viejo Continente (tampoco aquí daré más detalles). Apenas tuvieron tiempo para una breve sesión de entrenamiento, en una cancha más o menos marginal, cuyo césped era un desastre.

Cuando por fin entraron al verdadero campo de juego (el *field*, como dicen algunos puristas) quedaron estupefactos ante las descomunales dimensiones del estadio, las tribunas repletas y vociferantes y también ante la atmósfera helada de un enero implacable.

Como es habitual, se alinearon los dos equipos para escuchar y cantar los himnos. Primero fue, lógicamente, el del local, que fue coreado por público y jugadores, seguido por una cerrada ovación.

Luego vino el de los nuestros. La grabación era espantosa, con una desafinación realmente olímpica. No todos los jugadores cono-

cían la letra en su totalidad, pero al menos co-
reaban la estrofa más conocida. Sólo uno de los
deportistas, casualmente un delantero, aunque
sí se acordaba del himno, decidió cantar en su
reemplazo el tango Cambalache: «Que el mundo fue y será una porquería, / ya lo sé, / en el
quinientos seis / y en el dos mil también». Sólo en el palco oficial, unos pocos aplaudieron
por compromiso.

Cuando concluyó esa parte de la cere-
monia, y antes del puntapié inicial, que estuvo
a cargo de un arrugado actor del cine mudo,
los jugadores rioplatenses rodearon al delantero
díscolo y le reprocharon duramente que canta-
ra un tango en lugar del himno. Entre otros
amables epítetos, le dijeron: traidor, apátrida,
saboteador y cretino.

El incidente tuvo inesperadas repercu-
siones en el partido. Por lo pronto, los otros
jugadores evitaban pasarle la pelota al saboteador, de modo que éste, para hacerse con ella,
debía retroceder casi hasta las líneas defensi-
vas, y luego avanzar y avanzar, eludiendo a los
fornidos adversarios y pasándola luego (porque no era egoísta) al que estaba mejor coloca-
do para tirar al arco.

Los europeos jugaron mejor, pero faltaban pocos minutos para el final y ninguno de los
equipos había logrado perforar la valla contraria.

Así, hasta el minuto 43 del segundo tiempo. Fue entonces que el apátrida recogió la pelota de un falso rebote y comenzó su desafiante carrera hacia el arco adversario. Penetró en el área penal, y en vista de que hasta ahora sus compañeros habían desaprovechado las buenas ocasiones que él les brindara, dribleó con tres geniales vaivenes a dos defensas, y cuando el guardameta salió despavorido a cubrir su valla, el cretino amagó que patearía con la derecha pero lo hizo con la izquierda, descolocando totalmente al pobre hombre e introduciendo el balón en un inalcanzable ángulo de la escuadra. Fue el gol del triunfo.

El segundo partido tuvo lugar en otra ciudad (no entro en detalles), en un estadio igualmente impresionante y con sus tribunas de bote en bote. Allí también llegó el momento de los himnos. Primero el local y luego el de la visita. Aunque la banda sonora iba por otro rumbo, los 18 jugadores, perfectamente alineados y con la mano derecha sobre el corazón, entonaron el tango Cambalache, cuya letra sí era sabida por todos.

Aunque se ganó también ese partido (no recuerdo exactamente el resultado), los indignados dirigentes resolvieron suspender la gira europea y sancionar económicamente a todos los jugadores, sin excepción, acusándoles de traidores, apátridas, saboteadores y cretinos.

Soñó que estaba preso

Aquel preso soñó que estaba preso. Con matices, claro, con diferencias. Por ejemplo, en la pared del sueño había un afiche de París; en la pared real sólo había una oscura mancha de humedad. En el piso del sueño corría una lagartija; desde el suelo verdadero lo miraba una rata.

El preso soñó que estaba preso. Alguien le daba masajes en la espalda y él empezaba a sentirse mejor. No podía ver quién era, pero estaba seguro de que se trataba de su madre, que en eso era una experta. Por el amplio ventanal entraba el sol mañanero y él lo recibía como una señal de libertad. Cuando abrió los ojos, no había sol. El ventanuco con barrotes (tres palmos por dos) daba a un pozo de aire, a otro muro de sombra.

El preso soñó que estaba preso. Que tenía sed y bebía abundante agua helada. Y el agua le brotaba de inmediato por los ojos en forma de llanto. Tenía conciencia de por qué lloraba, pero no se lo confesaba ni siquiera a sí mismo. Se miraba las manos ociosas, las que antes construyeron torsos, rostros de yeso, piernas, cuerpos enlazados, mujeres de mármol. Cuando despertó, los ojos estaban secos, las manos sucias, las bisagras oxidadas, el pulso galopante, los bronquios sin aire, el techo con goteras.

A esa altura, el preso decidió que era mejor soñar que estaba preso. Cerró los ojos y se vio con un retrato de Milagros entre las manos. Pero él no se conformaba con la foto. Quería a Milagros en persona, y ella compareció, con una amplia sonrisa y un camisón celeste. Se arrimó para que él se lo quitara y él, no faltaba más, se lo quitó. La desnudez de Milagros era por supuesto milagrosa y él la fue recorriendo con toda su memoria, con todo su disfrute. No quería despertarse, pero se despertó, unos segundos antes del orgasmo onírico y virtual. Y no había nadie. Ni foto ni Milagros ni camisón celeste. Admitió que la soledad podía ser insoportable.

El preso soñó que estaba preso. Su madre había cesado los masajes, entre otras cosas porque hacía años que había muerto. A él le invadió la nostalgia de su mirada, de su canto, de su regazo, de sus caricias, de sus reproches, de sus perdones. Se abrazó a sí mismo, pero así no valía. Milagros le hacía adiós, desde muy lejos. A él le pareció que desde un cementerio. Pero no podía ser. Era desde un parque.

Pero en la celda no había parque, de modo que, aun dentro del sueño, tuvo conciencia de que era eso: un sueño. Alzó su brazo para también él brindar su adiós. Pero su mano era sólo un puño, y, como es sabido, los puños no han aprendido a decir adiós.

Cuando abrió los ojos, el camastro de siempre le trasmitió un frío impertinente. Tembloroso, entumecido, trató de calentar sus manos con el aliento. Pero no podía respirar. Allá, en el rincón, la rata lo seguía mirando, tan congelada como él. Él movió una mano y la rata adelantó una pata. Eran viejos conocidos. A veces él le arrojaba un trozo de su horrible, despreciable menú. La rata era agradecida.

Así y todo, el preso echó de menos a la verde, agilísima lagartija de sus sueños y se durmió para recuperarla. Se encontró con que la lagartija había perdido la cola. Un sueño así, ya no valía la pena de ser soñado. Y sin embargo. Sin embargo empezó a contar con los dedos los años que le faltaban. Uno dos tres cuatro y despertó. En total eran seis y había cumplido tres. Los contó de nuevo, pero ahora con los dedos despiertos.

No tenía radio ni reloj ni libros ni lápiz ni cuaderno. A veces cantaba bajito para llenar precariamente el vacío. Pero cada vez recordaba menos canciones. De niño también había aprendido algunas oraciones que le había enseñado la abuela. Pero ahora ¿a quién le iba a rezar? Se sentía estafado por Dios, pero tampoco él quería estafar a Dios.

El preso soñó que estaba preso y que llegaba Dios y le confesaba que se sentía cansado, que padecía insomnio y que eso lo agotaba, y que a veces, cuando por fin lograba conciliar el sueño, tenía pesadillas, en las que Jesús le pedía auxilio desde la cruz, pero Él estaba encaprichado y no se lo daba.

Lo peor de todo, le decía Dios, es que Yo no tengo Dios a quien encomendarme. Soy como un Huérfano con mayúscula. El preso sintió lástima por ese Dios tan solo y abandonado. Entendió que, en todo caso, la enfermedad de Dios era la soledad, ya que su fama de supremo, inmarcesible y perpetuo espantaba a los santos, tanto a los titulares como a los suplentes. Cuando despertó y recordó que era ateo, se le acabó la lástima hacia Dios, más bien sintió lástima de sí mismo, que se hallaba enclaustrado, solitario, sumido en la mugre y en el tedio.

Después de incontables sueños y vigilias, llegó una tarde en que dormía y fue sacudido sin la brusquedad habitual, y un guardia le dijo que se levantara porque le habían concedido la libertad. El preso sólo se convenció

de que no soñaba cuando sintió el frío del camastro y verificó la presencia eterna de la rata.
La saludó con pena y luego se fue con el guardia para que le dieran la ropa, algún dinero, el
reloj, un bolígrafo, una cartera de cuero, lo
poco que le habían quitado cuando fue encar-
celado.

A la salida no lo esperaba nadie. Empezó
a caminar. Caminó como dos días, durmiendo
al borde del camino o entre los árboles. En un
bar de suburbio comió dos sandwiches y tomó
una cerveza en la que reconoció un sabor antiguo. Cuando por fin llegó a casa de su hermana, ella casi se desmayó por la sorpresa. Estuvie-
ron abrazados como diez minutos. Después de
llorar un rato ella le preguntó qué pensaba hacer. Por ahora, una ducha y dormir, estoy francamente reventado. Después de la ducha, ella
lo llevó hasta un altillo, donde había una cama.
No un camastro inmundo, sino una cama limpia, blanda y decente. Durmió más de doce horas de un tirón. Curiosamente, durante ese largo
descanso, el ex preso soñó que estaba preso. Con
lagartija y todo.

Conversa

—Perdón. ¿Puedo sentarme aquí, contigo, a terminar esta cerveza?

—Sí, claro.

—Mi nombre es Alejandro.

—Ah.

—Alejandro Barquero.

—Está bien. Yo soy Estela.

—Estaba en el otro extremo del café. No sé. Te vi tan sola.

—Me gusta estar sola.

—¿Siempre?

—No, siempre no. Hay días. ¿No te ocurre que de pronto te vienen ganas de hacer balance contigo mismo?

—A veces. Pero por lo general de noche. Mi problema es que padezco insomnio.

—De noche prefiero dormir.

—Yo también. Pero no siempre puedo.

—¿Mala conciencia?

—No. ¿Acaso tengo aspecto de delincuente o de violador?

—De violador, no.

—¿De delincuente?

—Vaya una a saber. No hace diez años que nos conocemos, sino cinco minutos.

—¿Siempre estás así, a la defensiva?

—Hay que cuidarse.

—¿Venís a menudo a este café?

—Dos o tres veces por semana.

—¿Trabajás por aquí cerca?

—Si el interrogatorio va a continuar de esta guisa, reclamo la presencia de mi abogado.

—¿De esta guisa? ¡Qué léxico! Me gusta que tengas sentido del humor.

—Y vos ¿qué hacés?

—Traduzco.

—¿Del inglés?

—También del inglés. Pero sobre todo del francés y del italiano. Y además soy soltero en español.

—¿Me hacés confidencias para que yo te haga las mías?

—No sabía que la soltería era una confidencia. Más bien creía que era un estado civil.

—Yo no soy soltera. Estoy separada.

—¿Y qué tal?

—¿Qué tal qué?

—¿Cómo te sentís en el nuevo estado?

—No tan nuevo. Hace un año que me separé. Ahora ya me acostumbré, pero al principio fue duro.

—No te pregunto si vivís sola, porque vas a pegar la espantada.

—¿Por qué? Vivo sola, claro.

—¿Y tu familia?

—Me queda poca. Mi vieja vive en Brasil, con mi hermano. Mi viejo se quedó en un infarto. Tengo una hermana, casada con un gringo, que reside en Los Ángeles. Y se acabó.

—¿Qué hora es?

—Las seis y veinte.

—Caramba. Tenía que estar a las seis en el Centro. Pero no importa. Total, ya no llego. Ni en taxi. Lo que pasa es que mi reloj está perezoso. ¿Ves que marca las cinco y diez? Además, no he perdido el tiempo. Me gustó conocerte.

—¿Conocerme? Mucho no hemos hablado.

—Lo suficiente. Y una relación no sólo se construye con palabras. También hablan los ojos ¿no?

—Ajá. ¿Y se puede saber qué te dijeron mis ojos?

—Reservado.

—Te gusta el cachondeo ¿eh?

—Me gusta pasarla bien.

—A costa de esta servidora.

—¿Se puede saber qué edad tenés?

—No se puede.

—Representás veintitrés.

—Frío, frío.

—Yo tengo veinticinco.

—Pues representás veinticuatro y medio.

—Esta vez te haré una pregunta que requiere una respuesta franca.

—Venga.

—¿Te caigo bien?

—¿En qué sentido?

—Vertical. Horizontal. El que prefieras.

—Digamos que sí. Aunque no sé por qué.

—¿Te lo explico?

—No, por favor. No soporto la vanidad masculina cuando se desata espontáneamente.

—¿No te parece como si nos conociéramos desde hace años?

—¿No te suena esa pregunta como de culebrón venezolano?

—Vos contestáme. ¿Te parece o no te parece?

—¿Años? No. Me parece como si nos conociéramos desde hace veintiocho minutos.

—¿Alguien te dijo alguna vez que irradiás una simpatía tan fuerte que a uno lo marea?

—Bueno, una vez un muchacho me dijo que mi simpatía lo emborrachaba.

—¿Ves? Es así nomás. Y fijáte que ni siquiera te he tocado una mano.

—Ni te atrevas.

—¿No me das permiso?

—Claro que no. Apenas si autorizo a mi mano a tocar la tuya.

—Bárbaro.

—Tenés una piel suave. Interesante. Se ve que nunca fuiste obrero.

—¿Y esta cicatriz en la muñeca?

—Ah sí. Con ese detalle ya lo sabés todo de esta joven marquesa. Hace dos años intenté matarme.

—¿Y qué pasó?

—Me salvaron. Unas vecinas. Lo bien que hicieron. Estoy contenta de seguir vivita y coleando.

—¿Mal de amores?

—No. Falta de amores. Vacío de amores.

—¿Droga quizá?

—Nada de eso. Ni siquiera fumo. Casi no tomo alcohol. ¿Vos nunca quisiste suicidarte?

—Soy demasiado pelotudo para tomar una decisión tan laboriosa.

—Ya me dijiste que sos soltero en español. Pero ¿tenés mujer, compañera, amante o noviecita?

—Nada, mi niña. Llevo tres meses y medio de virginidad sabática.

—Entonces voy a hacerte una confesión que confío aprecies en toda su buena fe.

—Así será.

—Y en toda su inocencia.

—Soy todo orejas.

—Quizá te parezca extraño, pero tengo ganas de verte desnudo.

El diecinueve

—¿Capitán Farías?

—Sí.

—¿No se acuerda de mí?

—Francamente no.

—¿No le dice nada el número 19?

—¿Diecinueve?

—El preso 19.

—Ah.

—¿Recuerda ahora?

—Eran tantos.

—No siempre. En el avión éramos pocos.

—Pero usted...

—¿Estoy oficialmente muerto?

—No dije eso.

—Pero lo piensa. Para su información le diré que no soy un espectro. Como puede comprobarlo, estoy vivo.

—No entiendo nada.

—Sí, es difícil de entender. Y sepa que no le voy a contar cómo sobreviví. Parece imposible ¿verdad? Ustedes trabajaban a conciencia y con todas las garantías. Pero un vuelo es un vuelo y el mar es el mar. En el mundo hay varios mares, pero en el mar hay varios mundos.

—No me venga con disparates. Esto no puede ser.

—Sí que puede.

—¿A qué vino? ¿Qué quiere?

Farías estaba recostado en el cerco de su jardincito. El 19 estaba de pie, apenas a un metro de distancia.

—Nada en especial. Sólo quería que me viera. Pensé: de pronto le quito un peso de la conciencia. Un muerto menos, ¿qué le parece? Aunque deben quedarle algunos otros que aún no contrajeron el vicio de resucitar.

—¿Es dinero lo que pretende?

—No, no es dinero.

—Entonces ¿qué?

—Conocer a su familia. Por ejemplo a su señora, que justamente es de Tucumán, como yo. Y también a los chicos.

—Eso nunca.

—¿Por qué no? No voy a contarles nada.

—Oiga, no me fuerce a asumir una actitud violenta. Ni a usted ni a mí nos haría bien.

—¿A mí por qué? Nada hay más violento que ingresar al mar como yo ingresé.

—Le digo que no me obligue.

—Nadie lo obliga. Eso que hizo antes, hace ya tantos años, ¿fue por obligación, por disciplina o adhesión espontánea?

—No tengo que dar explicaciones. Ni a usted ni a nadie.

—Personalmente no las necesito. Lo hizo por una razón no tan extraña: no tuvo cojones para negarse.

—Qué fácil es decirlo cuando los cojones son de otro.

—Vaya, vaya. Una buena frase. Lo reconozco.

El otro se aflojó un poco. Se le notó sobre todo en la tensión del cuello.

—¿No me va a hacer entrar en su hogar dulce hogar? Ya le dije que a los suyos no les contaré «lo nuestro», y yo suelo cumplir lo que prometo.

Por primera vez, Farías lo miró con cierta alarma. Algo vio en los ojos del 19.

—Bueno, venga.

—Así me gusta. No se me oculta que este gesto suyo incluye algo de coraje.

De pronto, el 19 se encontró en un *living*, sencillo, arreglado con modestia pero también con mal gusto.

Farías llamó: «¡Elvira!». Y Elvira apareció. Una mujer con cierto atractivo, todavía joven.

—Este amigo —dijo Farías más o menos atragantado— es coterráneo tuyo.

—¿Ah sí? —la mirada de la mujer se alegró un poco—. ¿Es de Tucumán?

—Sí, señora.

—¿Y de dónde se conocen?

—Bueno —dijo Farías—, hace mucho que no nos veíamos.

—Sí, unos cuantos años —dijo el 19.

Hablaron un rato de bueyes perdidos y encontrados. Entraron los niños. El 19 repartió besos, les hizo las preguntas rituales.

—¿Usted es casado? —preguntó ella.

—Viudo.

—Caramba, lo siento.

—Hace cinco años que falleció mi mujer. Se ahogó.

—¡Qué terrible! ¿En la playa?

—Cerca de una playa.

Siguió un silencio helado. Farías encontró una salida.

—¡Vamos, chicos! A hacer los deberes, que ya es tarde.

—Y usted ¿vive solo? —preguntó Elvira.

—Sí, claro.

No le preguntó si tenía hijos, temiendo que también se hubieran muerto.

Con un movimiento casi mecánico, sólo por hacer algo, el 19 se sacudió con la mano los bajos del pantalón.

—Bueno, no quiero molestarlos. Además, tengo que estar en Plaza Italia a las siete.

Cuando el 19 apretó la mano de Elvira, tuvo una sensación extraña. Entonces ella se acercó más y lo besó en la mejilla.

—Siento mucho lo de su esposa.

—¡Vamos! —dijo Farías, a punto de estallar.

—Sí, vamos —apoyó con calma el 19.

El dueño de casa lo acompañó hasta la verja. Allí miró fijamente al 19, y de pronto, sin que nada lo hubiera anunciado, rompió a llorar. Era un llanto incontenible, convulsivo. El 19 no sabía qué hacer. Ese diluvio no figuraba en su programa.

De pronto el llanto cesó bruscamente, y Farías dijo, casi a los gritos, tuteándolo:

—¡Sos un fantasma! ¡Un fantasma! ¡Eso es lo que sos!

El 19 sonrió, comprensivo, dispuesto a hacer concesiones. Y también se incorporó al tuteo.

—Por supuesto, muchacho. Soy un fantasma. Al fin me has convencido. Ahora limpiáte los mocos y andá a llorar en el hombro de tu mujercita. Pero a ella no le digas que soy un fantasma, porque no te lo va a creer.

No hay sombra en el espejo

No es la primera vez que escribo mi nombre, Renato Valenzuela, y lo veo como si fuera de otro, alguien lejano con el que hace tiempo perdí contacto. En otras ocasiones, frente al espejo, cuando termino de afeitarme, veo un rostro que apenas reconozco, como si fuera un borrador o una caricatura de otro rostro, al que estoy más o menos habituado. Entonces pienso que esa mirada no es la mía, que esas pupilas de rencor no me conciernen, que esas arrugas pertenecen a otra máscara, que esos fiordos de calvicie no se corresponden con mi geografía capilar. Es cierto que tales dispersiones suelen ser momentáneas, metamorfosis que duran lo que un suspiro, pero siempre me dejan inestable, desasosegado, indefenso. Es por eso, Renato Valenzuela, que tal vez haya llegado el momento de ajustar nuestras cuentas. Con el tiempo, con el pasado, con las heridas, con las promesas, contigo/conmigo. Todas.

No caigamos en la vulgaridad de achacarle todo lo ignominioso a la borrosa infancia. Allá quedó, detrás de la neblina. Mis recuerdos se dejan ver a través de un vidrio esmerilado llamado memoria. Te veo desnudo en el campo, bajo una lluvia que no discriminaba, los flacos brazos en alto, gozando de esa felicidad inaugural, que por cierto no volvería a repetirse, al menos con esa intensidad.

Te veo niño, asombrado ante el raro espectáculo del peoncito que fornicaba (vos creías que jugaba) con alguna oveja, pasiva e inerte, por supuesto ausente de aquella violación antirreglamentaria. Tu adolescencia fue un sueño. Soñabas incansablemente y cuando por fin yo despertaba vos seguías soñando. Con bosques, con olas, con pechos, con soles, con hambres, con manos, con muslos. Tus sueños eran de deseo y mis vigilias eran de censura.

A menudo surge algún sabio de pacotilla, capaz de asegurar que el espejo siempre es honesto. Mierda de honesto. El espejo es un farsante, un traidor, un ladino. Ese Renato Valenzuela que está ahí, mirándome socarrón, pálido de tanto insomnio, es un remedo frágil de mí mismo, un facsímil sin sangre, una cosa. ¿Dónde está, por ejemplo, el latido de mis sienes, el corazón rebosante de logros y fracasos, las manos que no son garras sino proveedoras de caricias?

La estampa del espejo es lo que no quise ser: un fantoche gastado que convoca a la muerte. Por esos falsos ojos circulan escombros de deseos, que ya ni siquiera puedo vislumbrar y menos aún rememorar. Ese Renato Valenzuela es un epílogo del Renato Valenzuela que digo ser. Que soy. ¿O no? ¿O será acaso, este yo de carne y hueso, el pobre duplicado del que se mueve en esa luna? Dijo el poeta: «El mar como un vasto cristal azogado / refleja la lámina de un cielo de zinc». Ese Renato de cristal azogado ¿reflejará la nada de mi cielo de zinc? ¿O acaso estará más cerca de lo que dice en la estrofa siguiente: «El sol como un vidrio redondo y opaco / con paso de enfermo camina al cenit»?

¿Dónde está, en esa copia servil que es el espejo, el veinteañero aquel que sedujo a Irene, o sea el seducido por Irene, el que tembló como una vara cuando ella lo enlazó con sus brazos de enigma? ¿Dónde quedó el que besó y besó aquel cuerpo indescriptible, se sumergió cándido en él, feliz sin asumirse, volado en el amor?

No hay sombra en el espejo. La sombra es de los cuerpos, no de las imágenes. Mi hijo Braulio tiene seis años de sombra. Nunca lo pongo frente al espejo, para que no la pierda. Irene, en cambio, ya no tiene imagen. Ni sombra. Se la llevó el espanto. Hay finales de paz, de dolor, de inercia, también de espanto. El suyo fue de espanto. Sin embargo, en los ojos del espejo no está su muerte. En los ojos de mí mismo sí lo está. Es imposible desalojarla, omitirla, extraviarla.

Mi hijo me mira con los ojos de Irene. Un río de tristeza circula por mis venas, pero me he olvidado de llorar. Con mis ojos y con los del espejo. A Braulio no lo traigo al espejo para que no se gaste, para que no empiece, tan niño, a envejecer, para que siga mirando con los ojos de Irene.

Aclaro que todo esto es de un pasado. Reciente, pero pasado. Reconozco que hoy tuve una sorpresa. Como todas las mañanas me enfrenté al espejo y le hablé. Le hablé y le hablé. Creo que hasta le grité. De pronto advertí que la boca del espejo permanecía cerrada. Volví a hablar, lo insulté. Y nada. Sus labios no se movieron. Curiosamente, su mirada era de retroceso.

Entonces sentí que me inundaba un extraño regocijo, un esbozo de felicidad.

Y no era para menos. Por vez primera lo había dejado mudo. Por vez primera lo había derrotado. Inapelablemente.

Asalto en la noche

Doña Valentina Palma de Abreu, 49 años, viuda desde sus 41, se despertó bruscamente a las dos de la madrugada. Le pareció que el ruido venía del *living*. Sin encender la luz, y así como estaba, en camisón, dejó la cama y caminó con pasos afelpados hacia el ambiente mayor del confortable piso. Entonces sí encendió la luz. Tres metros más allá, de pie y con expresión de desconcierto, estaba un hombre joven, de vaqueros azules y gabardina desabrochada.

—¡Hola! —dijo ella. Debido tal vez a la brevedad del saludo, logró no tartamudear.

—Usted perdone —dijo el intruso—. Me habían informado que usted estaba de viaje. Pensé que no había nadie.

—Ah. ¿Y a qué se debe la visita?

—Tenía la intención de llevarme algunas cositas.

—¿Cómo pudo entrar?

—Por la cocina. No tuve que forzar la cerradura. En estas lides soy bastante habilidoso.

—¿Puedo saber si está armado?

—No me ofenda. Siempre averiguo antes de llevar a cabo una operación. Esta vez no me informé bien, lo reconozco. Pero sólo decido operar cuando estoy seguro de que no voy a encontrar a nadie. Y si es así, ¿para qué necesito armas?

—¿Y qué cositas le habrían interesado? Me imagino que sabrá que a esta hora intempestiva no es fácil largarse con un televisor de 22 pulgadas o un horno microondas, o una porcelana de Lladró.

—¿Tiene todo eso? Enhorabuena. Pero en estas excursiones de medianoche no me dedico a mercaderías de difícil transporte. Prefiero joyas, dinero en efectivo (si es posible, dólares, o en todo caso marcos), alguna antigüedad más bien chiquita, que quepa en un bolsillo de la gabardina. Cosas así, rendidoras, de buen gusto, de escaso riesgo o fáciles de convertir en vil metal.

—¿Desde cuándo se dedica a una profesión tan lucrativa y con tanto futuro?

—Dos años y cuatro meses.

—Qué precisión.

—Lo que pasa es que mi primer procedimiento lo efectué al día siguiente de mi cumpleaños número treinta y cuatro.

—¿Y qué lo impulsó a tomar este rumbo?

—Mire, señora, yo soy casi arquitecto. En realidad, me faltan tres materias y la carpeta final. Pero me estaba muriendo de hambre. Tal vez usted no sepa que aquí el trabajo escasea. Por otra parte, no tengo padres ni tíos que me financien la vida. Ni siquiera padrino. Como dicen en España, estoy más solo que la una. Y ya lo ve, desde que emprendí mis excursiones nocturnas, al menos sobrevivo. Y hasta ahorro. Cuando tenga lo suficiente, creo que me compraré un taxi. Sé de otros dos casi arquitectos y un casi ingeniero que se decidieron por el taxi y les va bien.

—¿Y en ese caso abandonaría estas gangas clandestinas?

—No lo creo. El taxi sería sólo un complemento.

Doña Valentina, viuda de Abreu, entendió que era el momento de sonreír. Y sonrió.

—¿Qué le parece si dejamos para más tarde la elección de las cositas que compondrán su amable pillaje de esta noche, y ahora nos tomamos un trago?

Al hombre le llevó unos minutos acostumbrarse a esta nueva sorpresa, pero al final asintió.

—Está bien. Veo que usted asume con serenidad las situaciones inesperadas.

—¿Qué quería? ¿Que me pusiera a temblar?

—De ninguna manera. Es mucho mejor así.

La dueña de casa se dirigió al barcito de caoba y extrajo dos vasos.

—¿Qué whisky prefiere? ¿Escocés, irlandés o americano?

—Irlandés, por supuesto.

—Yo también. ¿Con o sin hielo?

Una vez servidas las exactas medidas en los largos vasos de cristal azulado, posiblemente de Bohemia, el intruso levantó el suyo.

—Brindemos, señora.

—¿Por qué o por quién?

—Por la comprensión de la alta burguesía nacional.

—¡Salud! Y también por la frustración arquitectónica.

Cuando iban por la segunda copa, doña Valentina midió al hombre con una mirada que tenía un poco de cálculo y otro poco de seducción. Pensó además que era el momento de recuperar su sonrisa. Y la recuperó.

—Ahora dígame una cosa. En su botín de esta noche, ¿no le interesaría incluir mi camisón?

—¿Su camisón?

—Sí. Le advierto que bajo el camisón no tengo nada. Tiene autorización para quitármelo.

—Pero.

—¿Acaso éste es un cuerpo demasiado viejo para usted?

—No, señora, le confieso que usted luce muy bien.

—¿Quiere decir: muy bien para mis años?

—Muy bien, sencillamente.

—Hace ocho años que quedé viuda y desde entonces no me he acostado con nadie. ¿Qué opina de esa abstinencia mi asaltante particular?

—Señora, no necesito decirle que estoy a sus órdenes.

—Por favor, no me digas señora. Y tutéame.

—¿Te quito el camisón?

Ante el gesto aprobatorio de la mujer, y antes de dedicarse al camisón de marras, el buen hombre se quitó la gabardina, los vaqueros y el resto de su ropa, modesta pero limpia. A esa altura, ella había decidido no aguardar la iniciativa del otro y lo esperaba desnuda.

En la cama doble, el asaltante probó que no sólo era experto en rapiñas nocturnas, sino también en otros quehaceres de la noche. Por su parte, doña Valentina, a pesar de su prolongado ayuno de viuda, demostró a su vez que no había perdido su memoria erótica. Igual que con el whisky, también con el sexo repitieron el brindis. Al final, ella lo besó con franca delectación, pero a continuación vino el anuncio.

—Ahora vamos a lo concreto, ¿no te parece? Tenés que irte antes de que amanezca. Por razones obvias, que se llaman portero, proveedores, etcétera. Vamos, vestíte. Y después veremos qué cositas podés llevarte.

Mientras él se vestía, y a pesar de su oferta anterior, ella volvió a ponerse el camisón.

Luego abrió las puertas de un placard, que en el fondo tenía un cofre. De éste fue extrayendo paquetitos de dólares y otras menudencias.

—¿Qué tal? ¿Hay algo que quisieras llevarte?

Sobre una mesita de roble fue depositando joyas de oro, brillantes, esmeraldas. También un reloj suizo («era de mi marido, es un Rolex legítimo»), una petaca de marfil y otras chucherías de lujo.

—También está este revólver de colección. Dicen que perteneció a un coronel nazi. ¿Te interesa?

Cuando el hombre, que había estado examinando las joyas, levantó la vista, ella oprimió el gatillo. El disparo alcanzó al tipo en la cabeza. Se derrumbó junto a la cama doble. Ella recogió todo el material en exhibición y lo volvió a guardar en el cofre. Todo, menos el revólver.

Luego de comprobar que el hombre estaba muerto, pasó cuidadosamente sobre el cadáver. Por un momento le puso el arma en la mano derecha, sólo para dejar constancia de sus huellas. Luego la recuperó y la dejó sobre la cama. Después fue al baño, se lavó varias veces la cara y las manos. También usó el bidet.

Entonces fue al *living,* reintegró la botella a su sitio, llevó los largos vasos de cristal azulado a la cocina y allí los lavó, los secó y volvió al *living* para guardarlos. Luego levantó el tubo del teléfono y discó un número.

—¿Policía? Habla doña Valentina Palma, viuda de Abreu, domiciliada en la avenida Tal, número Tal y Cual, apartamento 8-B. Les pido por favor que vengan aquí, urgentemente. Un asaltante entró, no sé cómo ni por dónde, en mi casa para robar. Por si eso fuera poco, intentó violarme. Constantemente me amenazaba con un revólver, pero se confió demasiado y de pronto no sé de dónde saqué fuerzas para arrebatarle el arma y sin vacilar le disparé. Tengo la impresión de que acabé con él. En defensa propia, claro. Vengan enseguida, porque la impresión y el susto han sido tremendos y les confieso que estoy a punto de desmayarme.

Viejo Tupí

A Pablo Rocca

El Tupí Viejo, situado frente al Teatro Solís, no era sólo un café con abolengo, era más bien una institución nacional. El turista que entonces (finales de los cincuenta) llegaba a Montevideo, sabía que los puntos clave de la ciudad, las postales que no podía omitir, eran el Palacio Legislativo, el Mercado del Puerto, el monumento a La Carreta, el Jardín Botánico, el casino del Parque Hotel, el Estadio Centenario, el Teatro Solís, la Rambla de Pocitos y por supuesto el Tupí Viejo.

La ciudad asumía en esos años un aire de nostalgia, pero no se sabía bien qué cosas añoraba. Tanto la clase alta como la más modesta, pugnaban por mostrar una apariencia de clase media, que era en definitiva la que otorgaba al país su colorcito inconfundible. Desde ministros hasta líderes sindicales, todos apostaban en su atuendo por la discreción. Quizá la única diferencia notable se concentraba en el uso o el descarte de la corbata. La señal de poder y distinción que hoy otorga un Mercedes Benz, la daba entonces la corbata.

No obstante, en las ruedas casi cotidianas del Tupí Viejo no se tenía en cuenta ese detalle. Allí se juntaban periodistas, actores, obreros, profesionales, futbolistas, diputados, bancarios, artesanos, vendedores ambulantes, y hasta algún integrante del Consejo de Gobierno (eran épocas de Colegiado), como Eduardo Víctor Haedo, que sustituía su corbata oficial por un pañuelo de seda italiana que él consideraba más proletario. La verdad es que a nadie convencía con ese trueque demagógico. Todos sabían que don Eduardo Víctor era un farsante, pero un farsante simpático y sin soberbia, que se reía un poco de todos y también de sí mismo; así que cuando aparecía, haciendo chirriar con su gravosa humanidad las tablitas, de añejo roble pero flojas, del viejo parquet, siempre le hacían un sitio en las animadas polémicas, a las que él llenaba de colorido. Hasta Biancamano, el camarero que era una suerte de prócer del Tupí Viejo, solía mirarlo con extraña devoción.

Otro concurrente casi diario era un experimentado homosexual, el Recio, que normalmente ocupaba una mesa solitaria junto a uno de los ventanales. Entre el teatro y el restaurante del Águila estaba la Escuela Municipal de Arte Dramático, donde Margarita Xirgú ejerció durante años su incanjeable docencia. Varios de los alumnos de la Escuela solían invadir el

Café en juvenil algarabía. Siempre había alguno con un toque afeminado y que hasta caminaba con cierto contoneo. El Recio los miraba con crítico distanciamiento y recordaba un pasado no tan remoto en que había tenido que defenderse a trompada limpia (había noqueado a más de cuatro) de ciertos patoteros de extrema derecha, defensores escandalosos de la moral, la familia y la patria. Su moraleja era siempre la misma: «En mi tiempo había que ser muy macho para ser marica». Los demás contertulios le festejaban frívolamente la salida, pero el Recio (que tenía su Unamuno bien leído) sabía que allí estaba condensado su «sentimiento trágico de la vida».

La erección de la imponente mole del Edificio Ciudadela determinó la agonía y la muerte del Tupí Viejo. (Por un par de años lo trasladaron a un local sombrío de la calle Colonia. Parte de la clientela lo siguió, pero con desgano. Sin un paisaje que incluyera al Solís y la Plaza Independencia, sin los amplios ventanales y sin el Recio, que tuvo la coherencia de morirse tres días antes del traslado, aquello era un café cualquiera, pero nunca el Tupí Viejo.)

La agonía propiamente dicha duró cuatro o cinco semanas. Biancamano, que había sido el gran oficiante en aquel templo del ocio creador y ahora tenía asegurada su jubilación, no podía aceptar la abolición de un espacio que durante veinte años había sido su hogar.

Todavía continuaron, aunque en franca decadencia, las tertulias de los fieles. Una tarde compareció el consejero Haedo y confesó que no vendría más (sólo faltaban quince días para el cierre definitivo) porque en la última sesión del Consejo se había acordado del Tupí y había estado a punto de llorar. «Imagínense si después aparece en los diarios una foto con el rostro del consejero Haedo bañado en lágrimas.» A la salida se encontró con el Recio, que ya andaba muy mal, y se abrazaron, tal y como si se les hubiera muerto un familiar querido.

Además, empezó a notarse un extraño desajuste en las ruedas de siempre. Ahora los obreros hablaban de teatro; los periodistas, de artesanía; los actores, de fútbol; los abogados, de crucigramas; los vendedores ambulantes, de política. Como si cada uno quisiera escaparse de su realidad inmediata.

El último día sólo quedaba Biancamano, con la mirada fija en la inmensa Plaza que iba a perder para siempre. Es claro que podía ser contemplada desde el otro extremo, pero la Plaza que él disfrutaba era la que aparecía en los ventanales del Café. Entonces llegó el último cliente, pero no era de los habituales. Era simplemente un periodista brasileño, que, enterado de este final de Norma, se había acercado para hacer una nota para *O Globo,* y acribilló a preguntas al pobre Biancamano, que al final le imploró que lo dejara tranquilo. Y el buen hombre optó por retirarse.

Cuando se fueron apagando las luces, las del insobornable sol y las eléctricas de Ute, allí quedó, como recortada en la penumbra, la silueta del camarero de la triste figura.

Los robinsones

Los robinsones eran cinco: Sören hablaba danés; Gertrude, alemán; Paola, italiano; Flavio, portugués, y Louise, francés. Como lengua marginal pero abarcadora, adoptaron el inglés. Provenían de dos naufragios distintos, acaecidos en una sola noche de alucinante borrasca. Extrañamente, los cinco cuerpos, sobrevivientes pero derrengados, aparecieron, a pocos metros unos de otros, en un extremo del pequeño islote. Los primeros en recuperar el aliento fueron Sören y Louise. Juntando sus pocas fuerzas, arrastraron a los otros tres a un lugar más o menos protegido, bajo unos árboles que se doblaban hasta casi quebrarse.

Por fortuna, amaneció con el cielo despejado y un sol que les pareció maravilloso, sobre todo porque les secó la piel y les dio calor. La visibilidad era perfecta, pero no había ningún barco a la vista, ni hundido ni navegante. De pronto se miraron y tomaron conciencia de sus desnudeces. Flavio fue el primero en hablar: «Tendremos que acostumbrarnos». Todos asintieron, pero no fue fácil. Durante los primeros días se hablaban sin mirarse. Las tres mujeres trataron de encontrar hojas que les permitieran construirse por lo menos unos toscos taparrabos, pero fue inútil. Les importaba más cubrirse el pubis que taparse los senos. Los dos hombres en cambio no se preocupaban de sus propias desnudeces. Además, el clima no era un factor de riesgo, ya que por lo visto aquella zona era descaradamente tropical y sólo a la noche se levantaba una suave y bienvenida brisa.

La alimentación fue sin duda un problema, pero de a poco lo fueron solucionando. Las ramas que arrancaron de los árboles se convirtieron en instrumentos de caza, ante los cuales fueron sucumbiendo ratas, liebres, cangrejos, monos, jutías, algún pez que traían las olas. También se hicieron expertos en la construcción de trampas. Por otra parte Sören, el danés, cuya movida existencia incluía una etapa de explorador, sabía encender fuego con dos piedras, y esa habilidad fue un elemento básico en el primitivo arte culinario de aquellos robinsones.

Al cumplirse aproximadamente un mes de su llegada (no tenían la noción exacta de los días transcurridos), ya habían logrado construir, con ramas y hojas, una choza rudimentaria. Las hojas grandes eran un descubrimiento reciente y podían haber servido para crear un modelo inédito de taparrabo, pero a esa altura el pudor había quedado atrás. Ya estaban tan habituados a sus respectivas desnudeces, que a nadie se le ocurrió resguardar sus vergüenzas.

Durante el día se dedicaban, todos juntos, o en grupos de dos, a las tareas de supervivencia. Pero en los atardeceres se reunían junto a la choza y empezaron a contarse sus vidas. El mayor era Sören, 40 años, y la menor era Paola, 22. Flavio, 37 años, casado, con dos hijos, nacido en Oporto, era arquitecto y tenía en Lisboa, con otro colega, un estudio que había ganado buena fama y trabajaba bien. Gertrude, soltera, 29 años, era traductora simultánea (en inglés, alemán y francés). Paola, italiana, 22 años, soltera, modelo, se divertía enumerándoles sus pasarelas completas y sus destapes profesionales, que habían sido un involuntario entrenamiento para la desnudez actual. Louise, suiza, nacida en Ginebra, casada aunque en trámite de divorcio, sin hijos, cajera de un *shopping center,* había dejado, cuando se casó, sus estudios de Humanidades, pero seguía siendo una lectora obsesiva («aquí lo que más echo de menos es mi biblioteca»). En aquel hato de jóvenes, Sören era casi un patriarca; danés, 40 años bien llevados, barba tupida y semicanosa, carecía de un vínculo sentimental permanente, pero siempre le había ido muy bien con las mujeres; aparte de sus cinco años dedicados a la exploración y la investigación ecológica, ejercía el periodismo en uno de los principales diarios de Copenhague.

El hecho de que los cinco depositaran sobre las piedras (unos con soberbia y otros con timidez) aquellos breves compendios de sus biografías, sirvió en cierto sentido para cambiar la atmósfera algo neutra de sus relaciones. Ya no se veían como objetos sino como personas, y también como cuerpos; se miraban con prevención, con asombro y también con simpatía, más o menos como acontece en la mayoría de las familias. Con una diferencia: aquí y ahora las desnudeces volvieron por sus fueros, y en consecuencia hubo vistazos de indagación y hubo rubores.

El islote era pequeño y lo recorrieron de costa a costa. No detectaron presencia humana, aunque sí algún indicio de que tal vez la había habido. Por ejemplo un cuchillo con hoja de acero inoxidable, que les fue muy útil en las tareas de caza, cocina y construcción. Había dos zonas boscosas y el resto eran tierras llanas, praderas de altos pastizales. Sólo existía una elevación, que concluía en un precipicio o despeñadero que daba al mar y provocaba un vértigo casi incontrolable. La única vez que ascendieron hasta allí y miraron hacia abajo, Paola dijo: «Qué incitación para el suicidio», y Sören agregó: «No es descartable que el dueño del cuchillo haya venido aquí y sucumbiera al vértigo». Nadie festejó la ocurrencia y todos volvieron callados al campamento.

De vez en cuando hacían giras de inspección. Una mañana se repartieron en dos grupos: Flavio, Gertrude y Paola fueron hacia el norte, los otros dos hacia el sur. Después de una larga caminata, Sören y Louise entraron en el bosquecito número dos. Se echaron en un lecho de hojas. De pronto él notó un brillo extraño en los ojos de la suiza, tan extraño que él advirtió en su miembro una repentina y firme erección. También Louise detectó esa incitante novedad. Entonces cerró los ojos, pero en los párpados le quedó un temblor. Él estiró un brazo hasta alcanzar su mano y ella fue abriendo lentamente sus piernas. El acto de amor fue intenso y singular, ya que las palabras que acompañaron las caricias primarias y las profundas, no se entendieron tan hondamente como los cuerpos: las de Sören eran en danés y las de Louise en francés. El orgasmo no admite traducciones.

Cuando regresaron al campamento, los otros ya habían vuelto. No fue necesario dar ninguna explicación, ningún boletín de noticias. La nueva situación era evidente. «Enhorabuena», dijo Gertrude, y todos sonrieron. Sin embargo, a la noche Louise y Sören, por respeto a los demás, no durmieron juntos.

La segunda unión, de Flavio y Gertrude, no fue tan espontánea. Habían quedado solos en el campamento y lo discutieron largamente. Esta vez no hubo enamoramiento ni atracción irresistible. Más bien el resultado de un plan. El tema que Flavio depositó sobre las piedras, cada vez más lisas y gastadas, fue el de la exigencia de los cuerpos. «Tú y yo somos jóvenes y el cuerpo nos pide sexo. Por lo menos a mí. ¿A ti no?» «También a mí, pero no es tan fácil. Por ti puedo sentir una atracción física, provocada quizá por la prolongada abstinencia, pero no amor.» «¿Quién habla de amor? Se trata de necesidades.» «¿Y por qué me lo planteas a mí y no a Paola, que es más linda y más joven?» «Porque tú eres una persona mentalmente adulta, capaz de comprender de qué se trata, y Paola en cambio es mucho más inocente (y hasta diría pacata) de lo que parece. Un día lo hablé con ella, sin entrar en mayores precisiones, y me dio a entender que para ella el sexo sin amor no es erotismo sino pornografía.» «No está mal.» «Concretando: ¿cuál es tu respuesta?» «Te confieso que todo este intercambio de opiniones me ha ido, no diría calentando, sino entibiando el cuerpo. Así que cuando quieras.» «Hurra por el pragmatismo germánico.»

Se tendieron entre unos matorrales y allí fue donde los vio Paola. Ellos ni se dieron cuenta de su presencia, tan concentrados estaban en su nudo corporal. La italiana tuvo tiempo de ver y de asombrarse. Por lo común, una pareja, en la privada instancia de practicar su coito, suele vivir una instancia de prodigio; en cambio, para el que ve desde fuera, puede ser un motivo de excitación pero también de aversión, de repulsa. Así lo fue para Paola, que se retiró lentamente y se tendió en la choza, con un llanto amargo para el que no hallaba explicación. Cuando volvieron los otros cuatro, ella no quiso comer, dijo que le dolía la cabeza y quería descansar. En el largo insomnio se vio sola, aislada, excluida de los que se unían, y allí, mientras los demás dormían, tomó la decisión.

En una tabla que les servía de mesa, grabó con el cuchillo, en su escueto inglés para que todos lo entendieran: «Thanks. Good bye for ever. Paola». Después, extraviándose a veces en lo oscuro, caminó hasta el despeñadero. Era una noche de luna, así que pudo ver el mar, allá abajo, con olas gigantescas. Murmuró para sí misma una brevísima oración, se cruzó de brazos, y así, se arrojó al vacío.

A la mañana siguiente, el primero que vio la leyenda de despedida fue Flavio. Enseguida despertó a los otros. «Se ha matado», dijo Gertrude. «¿Recuerdan lo que dijo aquella vez que fuimos al despeñadero?», preguntó Sören.

«Vamos allá.» Y hacia allá fueron, siguiendo algunas de sus débiles huellas. Abajo, bien abajo, entre las rocas asquerosamente puntiagudas, estaba el cadáver de la modelo. Ni siquiera las olas habían querido llevársela.

En las dos semanas que siguieron reinó el silencio. Se cumplían las tareas imprescindibles. No hubo más uniones de los cuerpos. Sólo cuando apareció el barco inglés recobraron el ánimo y empezaron a hacer frenéticas señales. Por fin fueron vistos y una lancha vino a recogerlos. En el viaje hasta La Coruña hablaron entre sí sólo lo indispensable. Los del barco les dieron ropas y la tripulación hizo una colecta para que tuvieran algo de dinero cuando desembarcaran. El barco no entró en el puerto; no estaba en su ruta. Avisó que traía cuatro náufragos y vinieron a recogerlos. Ya en tierra, cumplieron los trámites de rigor. Les permitieron que desde allí telefonearan a sus familias. Luego atravesaron el Paseo Marítimo y caminaron hasta la Plaza de Santa María del Campo. Fue allí que decidieron separarse. Por primera vez tras el suicidio de Paola, la tensión bajó, se abrazaron, intercambiaron direcciones y teléfonos. Luego Gertrude se fue sola; también Flavio se fue solo, pero en otra dirección. Sören y Louise, en cambio, se quedaron allí, indecisos pero abrazados.

Más o menos hipócritas*

—No, Sánchez, no está mal informado. Hace ocho años que no publico nada. Y algo más grave aún: hace ocho años que no escribo.

Sergio Govoni pronuncia la última frase como si estuviera leyendo una pancarta; con un tono levantado pero uniforme, hecho más de rutina que de convicciones. El periodista esboza una sonrisa escéptica.

—Con todos los respetos: me consta que lo primero es cierto, pero lo segundo no puedo creerlo. Después de publicar cinco libros de poemas y siete novelas, de haber obtenido premios internacionales nada despreciables y excelentes críticas en todas partes, resulta difícil admitir que usted decida en un santiamén borrarse de la literatura.

—¿En un santiamén? ¡Cuánto hacía que no escuchaba esa palabrita! Tiene su encanto ¿no?

* Este texto formó parte, como primer capítulo, de la novela colectiva *La muerte hace buena letra*. (Ediciones Trilce, Montevideo, 1993), en la que participaron once narradores uruguayos. Se incluye en este volumen, como relato independiente, con autorización de la mencionada editorial. *(N. del E.)*

—No se me escabulla, don Sergio.

—¿Borrarme de la literatura? Eso no. Ahí están mis libros. Buenos o malos, ahí están y nadie puede borrarlos. Lo que he decidido borrar son mis futuros libros.

—¿Y le parece justo?

—¿Qué tiene que ver con esto la justicia? Se trata de una decisión personal, nada más. ¿Por qué se sorprende tanto? ¿Acaso mis sesenta años le parecen una edad prematura para jubilarse? Fui precoz, pero en otros rubros. Nadie es precoz para jubilarse.

—Sesenta tiene ahora. Cuando publicó *Alientos y desalientos* tenía cincuenta y dos.

—Tiene razón. Después de todo, cualquier edad es buena para dejar un oficio. Fíjese en Salinger: hace más de veinte años que no publica. ¿Y qué me cuenta del poeta Enrique Banchs? En 1911 publicó *La urna,* y se acabó, y eso fue cincuenta y siete años antes de su muerte. ¿Y Rulfo? *Pedro Páramo,* su último libro, es de 1955, y murió treinta años después.

—Son excepciones. ¿Quiere que le diga una cosa? Durante muchos años pensé que usted, por su estilo, por su actitud vital, por la coherencia de su obra, era hombre de reglas y no de excepciones.

—No me joda, Sánchez. Nadie quiere ser excepción. Ni siquiera el más ambicioso. Para llegar bien alto, hay que seguir el caminito de las reglas. Las excepciones siempre se quedan en la ruta. Usted me dirá que luego pueden ser reconocidas y ensalzadas por la posteridad.

—Claro que se lo digo.

—Pero ¿a quién le importa la posteridad? Ni siquiera le importó a Kafka, y era un genio. Kafka se hizo ca[f]ca en la posteridad.

—Menos mal que el bueno de Max Brod estuvo ahí para salvaguardar las venerables heces. La posteridad, agradecida.

—Estamos de humor negro, ¿no?

—Olvídese de Kafka. ¿Puedo hacerle la primera pregunta?

—Ya era hora. Puede. También puede poner, como en las encuestas: «no sabe, no contesta».

—Sergio Govoni: ¿por qué dejó de escribir?

—No sabe, no contesta.

—Por favor, don Sergio, no me tome el pelo.

—¿Al pan pan?

—Al pan pan.

—Dejé de escribir porque me quedé sin temas, así de sencillo.

—No tan sencillo.

—Dígame, Sánchez, ¿usted quiere publicar las respuestas mías o las respuestas que usted imagina que son las mías?

—No es forzoso que no coincidan. Pero no. Quiero las suyas, claro.

—Déjeme pensar. Déjeme pensar. No me gusta que me empujen.

—¿Le cuesta tanto recomponer el motivo de una decisión tan importante?

—No es que me cueste. Lo que sucede es que ustedes a veces simplifican. Quieren una respuesta única, compacta, y por añadidura que sirva para el título del reportaje. ¿Qué provocó la crisis del Golfo? Y responden la invasión de Kuwait. Y no. Es mucho más complejo.

—¿Qué provocó su crisis del Golfo?

—Se imaginará que hay más de un motivo. Por una sola razón no habría dejado de escribir. Son varias.

Govoni abandona la mecedora y se acerca a un mueblecito de roble, de aquellos clásicos, con cortina y cajoncitos. Mientras él hurga en las gavetas inferiores, Sánchez puede echarle una ojeada a aquel ambiente un poco sofocante. No logra distinguir si las paredes, repletas de libros, lo protegen o lo amenazan. En tres o cuatro huecos aparentes, oprimidos por diccionarios y enciclopedias, hay un dibujo de Barradas y otro de María Carmen Portela, un gauchito de Blanes (¿será una copia?), un óleo maravilloso de Alfredo

De Simone. Nadie de los actuales, anota mentalmente Sánchez, pero el De Simone lo llena de saludable envidia. Ni fax ni computadora. ¿Para qué, si ya no escribe? Sólo una vieja Remington, de teclas desniveladas y con ictericia, aparece como testigo de un pasado profesional.

Mientras el escritor le da la espalda, inclinado sobre unas carpetas en las que busca y rebusca, Sánchez se fija en cierta meseta de calvicie que no era perceptible cuando estaba erguido y de frente. Su aspecto general no revela un cuidado particular, ni siquiera esa coquetería de corredor de fondo en que suelen caer algunos veteranos, pero se le ve confortablemente instalado en la tercera edad. No obstante, cuando se endereza, con la (por fin) hallada carpeta en la mano, no puede evitar una breve mueca, como si alguna de sus bisagras hubiera rechinado. Le alcanza a Sánchez una fotografía. Se reserva otras.

—Ésta es Amparo, mi primera mujer.

La foto es en colores, pero algo desvaídos. Una muchacha posa con naturalidad, los brazos apoyados en una baranda de hierro, dedicándole al fotógrafo ocasional una sonrisa franca, cautivante. Sin embargo, lo que más atrae de esa presencia inmóvil son los ojos, penetrantes y oscuros.

—Es Amparo Serrano ¿verdad? Alcancé a verla en *Casa de muñecas*. Yo era un botija y me pareció maravillosa.

Govoni vuelve a la mecedora. Ahora parece menos tenso, pero también más desvalido.

—En realidad, su apellido no era Serrano sino Morente. Decía que le sonaba a muriente, y por eso se lo cambió para el teatro. Tiene usted razón: era maravillosa.

—¿Quiere hablarme de ella?

—Nunca hablo de ella. ¿Sabía usted que se suicidó?

—No. No sabía.

—Casi nadie lo sabe. Creo que sólo su madre y yo. Y el médico de familia, claro. En esos años, el suicidio era una gran vergüenza. Más o menos como el sida hoy. La prensa montevideana jamás mencionaba un suicidio doméstico, sólo los del exterior. De modo que lo ocultamos. Oficialmente fue un infarto. Vamos, Sánchez, no se conmueva así. Esto sucedió hace mucho.

—También usted se conmueve.

—Puede ser. Viví con ella siete años intensos. Y además su muerte fue algo inesperado. Nunca supe por qué lo hizo. Ni siquiera habíamos tenido una discusión.

—¿Quiere que apague el grabador y me lo cuenta?

—Apáguelo si quiere, pero ¿qué quiere que le cuente si no sé nada? Sólo puedo contarle mi desconcierto.

—¿Y la madre?

—Me echó la culpa. Como todas las madres. Nunca creyó en mi perplejidad. Ni mucho menos en mi congoja.

—Supongo que usted habrá barajado posibilidades.

—Todas. ¿Infidelidad de mi parte? Mi lema siempre ha sido: fiel, pero no fanático. No se ría. Pero justamente entonces llevaba tres años de fidelidad ininterrumpida. Y ella lo sabía. Las mujeres siempre saben esas cosas. Por intuición femenina, o por chisme de una amiga, pero las saben.

—Usted perdone. Pero ¿no pudo haber infidelidad de parte de ella? ¿O quizá un indicio de infidelidad? ¿No pudo acaso enamorarse de otro hombre y haberse sentido insoportablemente culpable?

—¡Cómo cambian los tiempos! O dicho de otro modo: cómo me he vuelto viejo. Si hace diez años, alguien me hubiera hecho esa pregunta insolente, sencillamente le habría roto la cara.

—Perdone, don Sergio. No pensé que... Además le avisé que había detenido la grabación. Creí que hablábamos amigablemente, confidencialmente. Perdone.

—Está bien, está bien. No crea que no comprendo que en el periodismo actual la insolencia es una virtud. Y tal vez tengan razón. La intromisión en la vida privada tiene gancho, vende más. Por eso voy a responderle. No creo que Amparo tuviera otro hombre, o pensara siquiera en tenerlo. Estábamos muy unidos, ¿sabe? Éramos jóvenes. El sexo funcionaba admirablemente, los cuerpos se necesitaban, se echaban de menos. También hay que reconocer que los hombres no somos desconfiados y a veces nos pasan. Pero si somos confiados es por exceso de vanidad. ¿Cómo una mujer va a preferir a otro si me tiene a mí, que soy y estoy bárbaro? ¿Usted sabe aquello que del dicho al hecho hay un gran trecho? Bien, pero del machista al cornudo, ese trecho es menudo. Mal chiste, ya sé. No me haga caso, Sánchez. Hablo por hablar. Estoy totalmente seguro de que Amparo me era fiel.

Govoni se mece parsimoniosamente. Pero está en otra parte. Sánchez respeta aquel ensimismamiento. En realidad, no está muy seguro de cómo continuar el diálogo. Por fin Govoni vuelve a tierra, lo mira como extrañado de su presencia y advierte que tiene más fotos en la mano. Elige una y se la alcanza.

—Es Julia, mi segunda mujer. Segunda y última.

En la foto, Julia y Sergio, abrazados, no miran hacia la cámara. Se miran ellos. Tienen aspecto de felices. Con reticencias, pero felices.

—No elegía mal usted, ¿eh? Tiene un atractivo distinto al de su primera mujer, pero es hermosa.

—Ésta sí me dejó por otro.

—¿Otro intelectual?

—No. Un jugador de básquetbol. Otra forma de suicidio.

—¿Lo cree realmente así?

—No, no lo creo. Pero es una buena cita de mí mismo. La usaba un personaje de mi tercera novela. Pero él decía eso, porque su mujer lo dejaba por un obrero de la construcción. De todas maneras, es menos humillante. Un obrero de la construcción es algo, alguien. Pero un basquetbolista... ¿No es absurdo?

—No veo por qué.

—Lo que pasa es que usted piensa en un deportista culto, que también los hay ¿por qué no? Éste en cambio era bruto. Musculoso ¡y un metro ochenta y ocho de altura! Lo sé porque él siempre lo estaba proclamando, como si exhibiera un doctorado de La Sorbonne.

—Todavía le guarda un poquito de rencor ¿no?

—Nunca fui rencoroso. Más bien suelo aburrirme de mis rencores. Me pareció una idiotez de parte de Julia, sólo eso. Si bien admito que ella me gustaba (le aseguro que en la cama hacía portentos) nunca estuve francamente enamorado. Julia no es Amparo. Nunca la pudo remplazar. De modo que en algún sentido su partida fue una liberación. A los seis meses se cansó de su musculoso e intentó volver. Pero no quise. No por orgullo ¿entiende? Más bien por cierta estética de la dignidad. Lo cierto es que nunca más encontró acomodo. De vez en cuando me llegan noticias. Anduvo con un arquitecto, después con un fotógrafo, luego con un secretario de embajada. Del Este, claro. Lo último que supe de ella es que se había vuelto feminista.

—Dígame, Govoni. ¿La suspensión de su escritura arranca del suicidio de Amparo o del abandono de Julia?

—Cuando se mató Amparo escribí un largo poema, bastante desgarrado por cierto, que más tarde rompí. No podía soportarlo. Fue el último. Sin embargo, seguí escribiendo prosa y publicándola. Después que concluyó lo de Julia, ya no sólo no publiqué sino que tampoco escribí nada. ¿Quiere saber cuál es la diferencia? Cuando se mató Amparo, quedé vacío; cuando se fue Julia, me sentí libre. Ante aquella muerte, me encontré sin fuerzas; frente a este abandono, las recuperé. O sea que, al parecer, al menos en mi caso, ni la ausencia ni la libertad fueron motivo de inspiración.

—Pero usted dice que recuperó las fuerzas.

—Para vivir, pero no para escribir. Por eso hoy puedo mirar mis libros como si hubieran sido escritos por otro. Dejé de ser un autor mediocre para convertirme en un lector inteligente. Y le confieso que disfruto bastante en mi nueva condición.

—Ese párrafo podría haber figurado en su novela *La falsa modestia*. Honestamente, ¿usted cree que esa obra fue escrita por un autor mediocre?

—Es el caso, poco menos que milagroso, de una excelente novela, escrita por un novelista, no diría mediocre, pero sí mediano. ¿Qué le parece este autodiagnóstico?

—Un autoengaño. O quizá una simulación.

—Usted no me quiere demasiado, ¿eh?

—Hombre. Soy uno de sus lectores más fieles, y en consecuencia me siento frustrado por su silencio literario.

—Espero que comprenda que salvarlo de su frustración no es para mí incentivo suficiente para volver a escribir.

—Usted tampoco me quiere demasiado, ¿eh?

—No. ¿Y sabe por qué? Porque usted y yo somos dos hipócritas, pero yo le llevo la ventaja de mi madurez. La hipocresía inmadura me resulta insoportable.

—¿Y por qué carajo accedió entonces a concederme la entrevista?

—No se sulfure, mi amigo. No se sulfure. Le concedí la entrevista, es cierto, pero como me considero un hombre libre, ahora le retiro la concesión.

—Ya es tarde, Govoni. Todo está grabado.

—Lo sé, lo sé. Ahí fue cuando reconocí que usted era un hipócrita inmaduro: cuando me dijo que no estaba grabando y sin embargo seguía encendida la lucecita roja. Usted trataba de ocultarla, pero igual lo pesqué. Un hipócrita inmaduro.

—Ante todo soy un periodista. En el diario no me pidieron una entrevista de indagación literaria, sino que le hiciera una sola pregunta: ¿por qué dejó de escribir?

—¿Y usted cree que le respondí?

—Está grabado, Govoni.

—Sí, está grabado. Pero usted, muchacho, va a abrir ahora su aparatito, va a extraer la casete y la va a depositar tranquilamente sobre esta mesa. Usted y yo somos dos hipócritas, pero ambos sabemos que la casete va a quedar aquí, ¿no es cierto?

Sánchez aprieta los labios, sin pestañear. Luego adelanta dos dedos y oprime la tecla *eject*.

Ausencias

1.

Obedeciendo a una nostalgia que era casi una costumbre, Fabián abrió su billetera y extrajo con cuidado el papel, ya amarillento, doblado en cuatro. Era la última esquela de Juliana, escrita cinco años atrás: «Fabianzuelo: qué bien lo pasamos ayer. No quiero pedirle más recompensas a la vida. Así ya está bien. ¿Para qué más? Creo que nunca antes me había sentido tan a gusto contigo y conmigo, con tu cuerpo y con mi cuerpo. Ahora tengo que irme, qué lástima, pero será apenas por una semana. Ya te estoy echando de menos, ya quisiera tenerte. Y que me tuvieras. Ojalá que nos dure esta necesidad del otro. Y nada más. No te mando besos de papel, porque no pueden competir con los verdaderos. Sólo de evocarlos, me estremezco. Hasta el sábado. Juliana».

Con el papel aún desdoblado en la mano, Fabián miró por la ventanilla. El autobús atravesaba una campiña levemente ondulada, con trigales a ambos lados de la carretera. Pero él miraba sin ver. Fabianzuelo. Fabianzuelo. Así le había puesto ella porque, decía, la había pescado y bien pescado, y por fortuna no la soltaba. Tenía razón: aquella jornada había sido como un milagro. Nunca había imaginado tanta compenetración, tanta angustiosa felicidad. Angustiosa porque él siempre había intuido que sería a término. Ojalá que nos dure, había escrito ella. Pero no duró. Juliana se había esfumado. Él la buscó, al principio con desconcierto, después con desesperación, luego con paciencia, con rigor, siempre con tristeza. Sabía que también la familia la había buscado con tenacidad, pero habían sido tiempos duros para cualquier búsqueda. Todos ignoraban, y los que acaso sabían, no vacilaban en mentir. Mentían que ignoraban, pero nunca ignoraban que mentían. Para Fabián, la imagen de Juliana ocupaba todo su aforo de añoranzas. Una añoranza que él sentía en su boca, en sus ojos, en sus manos, en sus piernas, en su sexo. Juliana no era la ausente sino la Ausencia.

2.

¿Cuánto hacía que Fabián Alvez no pisaba los adoquines de San Jorge? Tenía la impresión de que no sólo sus pies sino también sus zapatos, echaban de menos el asfalto de la Capital. Sin embargo, aquella tranquilidad casi abusiva le venía bien. Como si sólo ahora se enterara de que durante años había sentido nostalgia de esta calma. Las calles arboladas eran un marco adecuado para el paso cansino de la gente. Hasta los pájaros aportaban su ritmo de verano. Iban de árbol en árbol, sin armar alboroto, planeando con las alas inertes, o volaban con una alternancia perezosa, como si fueran pájaros de sueño. Pero no eran de sueño. Sólo que no estaban pendientes de las alarmas y los semáforos de la metrópoli. Las casas y las casitas eran modestas pero recién pintadas de un blanco sin brillo: un fondo más o menos adecuado para las ventanas y persianas verdes. Eran las siete de la tarde y entre los árboles asomaba el río.

La pensión Brescia aún sobrevivía. Pobre, decorosa y limpia. Le dieron una habitación amplia. Había una cama con barrotes de bronce bien pulidos, una mesa de pino nudoso, dos sillas y un ropero con las hojas algo desencontradas y los estantes con un pasado de polillas. Depositó la valija sobre la mesa pero ni siquiera la abrió. Se quitó el saco, el cinturón y los zapatos y se tendió en la cama, que chirrió, quejosa. En el techo había una mancha oscura, una suerte de círculo con flecos. Se puso los lentes para ver de qué color era el esperpento. La mancha era marrón. Mirándola, mirándola (se divirtió pensando: Pico della Mirandola), se quedó dormido.

Durante todo este tiempo de malquerida soledad, soñar con Juliana había sido un premio para él. Raras veces lo había merecido. Pero esta vez soñó con ella. La divisó desde lejos. Estaba sentada en un banco de la plaza, no en San Jorge sino en Cabañas. Tenía una blusa roja y una pollera clara. Ella lo saludó alzando un brazo, y él decidió acercarse. Pero a medida que avanzaba, el banco se iba alejando. Y Juliana con el banco. Al principio el sol le daba en la cara, pero, gracias a aquel desplazamiento, Juliana y el banco fueron entrando en la zona de sombra. Fabián tuvo que correr para alcanzarlos, y cuando al fin estuvo junto a ella, le tendió una mano y pudo librarla de aquella alienación. Esto más que un tiovivo parece un tiobobo, dijo él y ella sonrió. Le pasó un brazo por la cintura, todavía sin besarla, y le preguntó cuándo pensaba volver. Ella sonrió, cautivada y cautivante, pero en el preciso instante en que iba a hablar, él despertó.

3.

A la mañana siguiente, después del desayuno (café con leche, tostadas y mermelada de durazno), salió a reconocer, casi a recuperar el pueblo. En las acacias y paraísos de la plaza se notaba el tiempo transcurrido. Como si hubieran entrado en la tercera edad. El frente de la iglesia estaba descascarado, pero aun así infundía respeto. Cuatro o cinco chicos movían una pelota, se la pasaban con precoz elegancia y con la visible convicción de que les esperaba un futuro de estrellas.

Fabián cruzó la plaza en diagonal y tomó por la calle Dragones. Sabía lo que buscaba. Frente al número 12-A se detuvo. Nunca se había explicado el agregado de la A, pues no había ningún 12 a secas. Una de las persianas estaba cerrada; la otra no. Por la acera de enfrente pasaron dos parejas y un señor con bastón. Todos lo miraron con la curiosidad que suele provocar un rostro anónimo. Por fin decidió empuñar el pesado llamador de bronce y los golpes sonaron en la calle de domingo como dos martillazos. Las verdes persianas del 25 y el 28-A (tampoco había un 28 a secas) movieron sus pestañas. Por fin, después de un rato, la puerta se abrió. Apareció una muchacha, bien parecida, con una túnica blanca. Al principio lo miró con reprobación, luego sonrió. Él dijo buenos días y preguntó si allí vivía o había vivido Juliana Risso. «Sí, pero hace mucho.» «¿Sos su hermana?» «Sí.» «¿Carmela?» «Sí, ¿y vos quién sos?» «Fabián.» «Ah, el novio.» «Al menos eso fui en un tiempo, antes de que Juliana se esfumara.» Carmela pareció vacilar. Le dedicó una nueva mirada de evaluación. «¿Querés pasar?» «Si no molesto.»

4.

El patio interior era acogedor y luminoso. Una pared, casi totalmente cubierta por una enredadera invasora y compacta, atenuaba la sensación de bochorno. Con un gesto, la muchacha le sugirió que se quitara el saco y él obedeció. Ella quedó a la espera y él preguntó si tenía alguna noticia de Juliana. «Ninguna. Hace cinco años que dejó de escribirme, nunca más supe de ella. Ahora ya no lloro, pero lloré mucho. No sólo era mi hermana, también era mi amiga, mi compañera, mi confidente.» «¿Y a qué atribuís ese silencio?» «A que la desaparecieron, como a tantos. ¿Acaso no sabés que la democracia no llegó a los cementerios? Sólo los vencedores tienen tumbas.» «¿Y tus padres?» «Ellos no lucharon y por tanto no fueron vencedores, pero al menos tienen tumbas. El viejo murió hace tres años. Mamá, el año pasado.» «¿Vivís sola?» «No, vivo con mi tío y con mi hermano, pero sólo vienen los fines de semana. Los dos trabajan en el campo.» «¿Y no has pensado en irte a Montevideo?» «¿Qué voy a hacer allá? Además, no puedo irme yo también, como Juliana, y dejarlos a ellos, que son lo único que me queda.» Por un momento Fabián se quedó sin tema, pero ella preguntó: «¿Y vos? ¿Por qué nunca viniste por acá?». «Es demasiado largo de contar, y tampoco estoy muy seguro de que quiera contarlo.» Ella echó su cabeza hacia atrás, como si la hubieran agredido. Fabián trató de tender un puente mínimo, todavía frágil: «¿Querés que te invite a almorzar? Si mal no recuerdo, había en la plaza una fonda donde se comía bien». Carmela se tomó un minuto para considerar la oferta. «No, mejor no.»

5.

A las once de la mañana el sol picaba. Con el saco en el brazo, Fabián se fue acercando al río. Cuando por fin llegó, se tendió en el césped, entre dos pinos todavía vigorosos. Este río, que casi no corría, tenía sin embargo su hechizo. Tal vez porque había aspirado a ser un lago y no lo era. Sólo se lo veía moverse en la orilla, donde de vez en cuando venía a lamer la escasa arena.

La relación con Juliana se había consolidado en Montevideo, pero en las pocas veces que venían a San Jorge, les gustaba compartir sus silencios con el silencio del río. Allí no se besaban, ni siquiera se abrazaban. Tan sólo se miraban, pero eran miradas que sobrellevaban una hondura que no tenía cabida en la ciudad grande. Sólo les sucedía eso junto al río. Los trepidares, las frenadas y bocinas de la carretera se burlaban un poco de esa calma antigua, pero estaban demasiado lejos como para desvirtuarla. Ahora Fabián, callado por nostalgia, registraba la ausencia de aquel silencio contiguo, de aquella mirada que penetraba en la suya y viceversa.

Durante los tres años que precedieron al mutis de Juliana, no había habido espacio ni pretextos para la infidelidad. La historia de sus sentimientos había estado como empotrada en la congoja social de esos años y los había limpiado de cualquier frivolidad a la hora de pensar en sí mismos. Después de todo, pensaba Fabián, la asunción de la tristeza no es tan negativa como parece. Hay una alegría extraña en saber que aún podemos estar tristes. Significa, entre otras cosas, que no estamos perdidos. A veces, recordaba Fabián, nuestro abrazo tan estrecho incluía desolación, no por nosotros sino por los otros. Y hasta el orgasmo podía convertirse, increíblemente, en una estación de duelo. Por suerte, lo mejorcito de la pena siempre arrastra consigo algo de amor.

Mientras tanto el río, obstinado en no fluir, en exhibirse casi inmóvil, era una versión nueva de aquel viejo silencio. Fabián se sintió en paz, pero una paz dolorosa, pródiga en enigmas, desprolija. Se miró las manos con un poco de lástima y otro poco de condescendencia. Le amargaba y a la vez le asombraba que las suyas fueran manos que no tocaban, no palpaban, no acariciaban. Manos solitarias, abandonadas, viudas.

6.

Con el paso de un otoño apacible, la habitación de la pensión Brescia fue adquiriendo intimidad. Ahora la mesa tenía libros, una libreta de apuntes, en la pared un afiche con árboles y una estatua de espaldas. La clientela de la pensión era gente de paso: por lo común, viajantes de comercio, que apenas se quedaban una noche, o sea que en el desayuno sólo había espacio para un ronco buenos días y un chau indiferente.

Por la mañana iba a la plaza a leer. Las palomas, más blancas que en otras partes, y que al principio alborotaban en su fuga ritual, ahora ya lo aceptaban como una presencia familiar. Alguna que otra tarde iba a lo de Carmela. No los sábados ni los domingos. No se sentía con ánimo de enfrentar el presumible interrogatorio del tío y el hermano.

Cada vez se sentía mejor con la muchacha. También ella se sentía cómoda, acompañada. Al principio hablaban casi exclusivamente de Juliana. Los recuerdos de Fabián y los de Carmela se complementaban y la imagen de la ausente iba adquiriendo forma. Carmela sostenía que su hermana siempre había tenido para ella una zona de misterio. La menor se abría ante Juliana como una mera táctica para estimular su confidencia, pero la otra no cedía a la provocación. Hablaba de muchas cosas (interesantes, reveladoras) pero no de sí misma.

Fabián sabía más (no mucho más) de Juliana, pero ya que ésta había callado, informar a Carmela de una peripecia o un rasgo adicionales, a él le parecía una minúscula pero evidente traición.

«Yo sé que vos sabés más cosas», decía Carmela, «pero comprendo que las guardes. Me imagino que serán algo así como las claves de tu relación con ella. ¿O no?». Fabián no lo negaba. Sólo sonreía, paciente y amigable. La simpatía de la muchacha era como una versión primaria, casi un borrador, del encanto imborrable de Juliana, pero también había tonos de voz, gestos durante el silencio, miradas insondables, que traían el recuerdo de la imagen en falta. Carmela era discreta. No indagaba. Simplemente, absorbía lo poco que contaba Fabián, y siempre hallaba en ese informe retaceado algún detalle inédito que incorporaba a su registro.

Llegó un día, sin embargo, en que la evocación de Juliana alcanzó su límite y los testimonios de una y otro empezaron a repetirse. Entonces entraron, sin ponerse de acuerdo, a dos territorios sin censura: la infancia de Carmela y la infancia de Fabián. Para ambos fue un alivio desenfundar la memoria sin entrelíneas ni cortapisas. Jugaron a recuperar imágenes o episodios determinantes. Hechos o palabras que abrieron un rumbo o clausuraron otro.

Carmela narró lo de Facundo, un niño, hijo de campesinos, que fue llevado por sus padres a la escuela rural, la misma en la que ella estaba terminando primaria. La maestra (sólo recordaba que se llamaba María Eusebia) la llamó y le dijo: «Aquí disponemos de pocos elementos, somos pobres, tenemos que ayudarnos. Vos sos (durante las clases habría dicho:

tú eres) la mejor de la clase. Sabés leer y escribir perfectamente. Facundo, no. Así que desde mañana, cuando terminen las clases, te quedás una hora más y le vas enseñando. Ya lo hablé con tus padres y están conformes». Cuando Carmela emergió del asombro inicial, la idea le empezó a gustar. Facundo era analfabeta pero muy avispado. En realidad, no siguió ningún método, ni clásico, ni improvisado, pero el chico fue aprendiendo con una facilidad pasmosa. En pocos meses adquirió lo fundamental. Al comienzo, escribía con unas letras de imprenta, cuadradas y torpes, todas mayúsculas, pero de a poco se fue arriesgando y empezó a usar una caligrafía más fluida, todavía primaria, pero diferenciando mayúsculas y minúsculas. Años después, Carmela se enteró de que Facundo había alfabetizado a sus padres, como una forma de agradecerle a Carmela lo que había hecho por él. A ella, más que el aprendizaje directo de Facundo, la marcó esa continuidad, esa inesperada constancia de que su trabajo (que para ella, apenas una niña de sólo once años, había sido un sacrificio asumido con entusiasmo y rigor) no había concluido en el niño analfabeto sino que se había proyectado, no sólo hacia el futuro (Facundo terminó siendo maestro) sino hacia el pasado, o sea sus padres.

«Frente a tu relato tan conmovedor», dijo Fabián, «mi propia infancia se me desmenuza. Fijáte que tu recuerdo es una instancia positiva: creaste y habilitaste a otro a seguir creando. Me parece maravilloso. Ojalá yo tuviera un recuerdo así. Pero no. Mi recuerdo determinante es triste, oscuro. Mis padres eran bastante pobres y vivíamos en un barrio muy humilde. Nuestra vivienda, al igual que las otras, era algo así como un ranchito, techado con viejas chapas de zinc. En una de esas casuchas vivía una señora, viuda, de unos sesenta años (para la escala de mis doce años, era una anciana), que, en pleitos sucesivos con algunos parientes de su marido, había perdido un no muy abundante legado que él había intentado dejarle. Vivía de una pensión exigua, con la que cubría a duras penas sus necesidades mínimas. No tenía amigos en Montevideo y era lo bastante orgullosa como para no pedir auxilio a unos sobrinos que vivían en Fray Bentos. Conmigo era cariñosa, decía que yo tenía un cierto parecido con 'el difunto'. Yo no sabía si agradecer o no esa semejanza. Lo cierto es que a menudo me llamaba para que le hiciera algún recado. Ni ella ni nosotros teníamos teléfono, así que, como nuestras viviendas eran casi contiguas, se asomaba a la puerta y hacía sonar una campana. Nunca le acepté propinas, ya que aun en esa edad me parecía que la propina entre pobres, no sólo era humillante, como siempre lo es, sino además ridícula. Su propina bienvenida era el afecto. Conversaba conmigo, me preguntaba sobre el colegio, me narraba anécdotas, siempre entretenidas, de cuando ella y su compañero habían vivido en México. Me sentía a gusto, también yo le había tomado afecto. Una vez pasaron cuatro o cinco días sin que sonara la campana y decidí ir a verla, pensando que acaso estaba enferma y precisaba algo. Golpeé en la puerta pero no vino a abrirme. ¿Se habría ido sin avisarle a nadie? Me acerqué a la única ventana y miré al interior. Lo que entonces vi me estremeció. Mi vieja amiga se había ahorcado. No me preguntes cómo lo había logrado, pero ahí estaba colgando su esmirriado cuerpo. Salí corriendo y llorando a contárselo a mis padres, pero no quise ir con ellos a ver de nuevo a mi primera muerta. Luego han llegado otras, pero nunca olvidaré ese primer dolor, esa noción primaria de nuestra fragilidad, de cómo en el abandono puede ir cobrando fuerza la tentación de la muerte».

Cuando acabó su relato, Fabián miró a Carmela y vio que lloraba. Se le acercó y la abrazó con una ternura tan intensa que para él mismo resultó una novedad. Ella sólo dijo:

«No te preocupes. Después de todo, como vos dijiste el otro día, hay cierta alegría en saber que aún podemos estar tristes».

7.

Al fin pudo llevarla a la fonda de la plaza. El dueño era un napolitano que se especializaba en ñoquis. En realidad, más que su plato especial, era, de lunes a viernes, su plato único, ya que sus otras ofertas, milanesas y spaghetti, sólo se incorporaban al menú los fines de semana. De modo que, como era jueves, pidieron obligatoriamente ñoquis. Que por cierto estaban muy sabrosos. También pidieron el *tinto de la casa,* y cuando se les ocurrió brindar, ambos dijeron casi simultáneamente: «Por nosotros». Carmela enrojeció y era un rubor de culpa. Fabián movió su mano sobre el papel blanco que cubría la mesa hasta alcanzar la mano de Carmela. «¿Qué te pasa?», preguntó sonriendo, «¿acaso no querés que nos vaya bien?». «Sí, claro», balbuceó Carmela, y optó por dedicarse a los ñoquis.

Después hablaron de San Jorge y su vida cotidiana. Era un pueblo quieto, con escaso movimiento, «tranquilo hasta la exasperación» opinaba Carmela. Según el último censo: ocho mil habitantes, con claro predominio de gente mayor y familias poco numerosas. Modesto centro de una zona rural, no eran muchos los jóvenes que se quedaban a trabajar en el campo. La mayoría huía hacia la capital, a seguir una carrera o en busca de un trabajo mejor remunerado. Buena parte de esa migración no lograba sus objetivos y se encogía en dos niveles de fracaso: los que deambulaban de changa en changa, a cual más miserable, y los que volvían, resignados y mustios, al duro trajín de la tierra. A cien metros de la Plaza Constitución (un nombre que le quedaba grande) estaba el modesto Club Social, donde los sábados de noche se daba cine y cada tanto actuaba algún cantante folclórico. No obstante, el entretenimiento primordial era, como en todas partes, la televisión, y las antenas compartían con la ropa tendida el territorio de las azoteas. Ello contribuía a que aquel conglomerado de jubilados civiles y algunos retirados militares se enclaustrara en las salitas o en los dormitorios para ponerse al día con el acaecer del mundo ancho y ajeno y sobre todo para agitar el cóctel de sus sentimientos con el culebrón brasileño de turno.

Carmela tenía pocas relaciones en el pueblo. Casi todas sus compañeras de colegio se habían ido a Montevideo y ya ni siquiera venían a pasar las vacaciones en San Jorge. A veces se encontraba en la carnicería o en el supermercadito local con algunas de las mujeres, casi todas mayores, con las que intercambiaba saludos, sonrisas y comentarios intrascendentes que parecían fotocopias de los de la víspera y de todas las vísperas. Las más osadas llegaban a preguntar si había tenido noticias de su hermana y ella respondía lo de siempre. Y había una sola, con aire de bruja, que insistía con la misma pregunta: «¿De veras que no tenés novio?». Y agregaba: «Es raro, porque vos sos mucho más linda que tu hermana, la que se fue». Carmela apretaba los dientes y no decía nada.

8.

Cuatro o cinco días después, en una tarde de a ratos lluviosa, al comparecer una vez más en el 12-A, Fabián encontró una Carmela sombría, con los ojos llorosos, como si de pronto hubieran caído en su juventud cinco años más.

Ante la interrogante muda de Fabián, sólo dijo: «No te preocupes».

«¿Pasa algo?»

«No. No pasa nada. Sólo que soy tonta y a veces me deprimo sin motivo. ¿Querés que te sea franca? No sé por qué estuve llorando.

Quizá se deba a esta llovizna que todo lo vuelve gris. Cuando no hay sol, me viene un desconsuelo.»

Justamente el mal tiempo impidió que se quedaran en el patio. Carmela dijo: «Vamos a la cocina, así te hago café». Luego, mientras ella vigilaba la cafetera, de espaldas a Fabián, éste la vio tan frágil, tan indefensa, tan invadida por un miedo inútil, que él también se sintió frágil, pero sobre todo conmovido. Sin pensarlo dos veces, se acercó a la muchacha y la abrazó desde atrás. Sin embargo, el abrazo no fue tan estrecho como para que ella no pudiera volverse y enfrentarlo.

Él empezó besando sus ojos, que otra vez tenían lágrimas, y cuando llegó a la boca, todavía de labios cerrados, sintió que algo pasaba en él. Y en ella, que de a poco y como a pesar suyo, fue entreabriendo los labios hasta recibir el beso con ansiedad y tristeza. Él tuvo suficiente presencia de ánimo como para estirar un brazo y apagar la cafetera, que empezaba a desbordarse, pero con el otro empezó a aflojar los botones de aquella túnica blanca, siempre impoluta, que era como un uniforme de Carmela. Lo dejó hacer, como resignada, pero cuando él terminó por quitarle la túnica, ella cruzó sus brazos sobre el pecho y repitió varias veces: «No sé, no sé, no sé».

«Sí que sabés», dijo él y acabó de desnudarla. Entonces ella lo abrazó, pero aún no como respuesta amorosa sino más bien para ocultar, ante Fabián y ante sí misma, su desnudez. Él la tomó en brazos (era tan liviana) y la llevó hacia el interior de la casa. Dedujo que en algún sitio habría una cama, pero tuvo que hallarla por sí mismo. Ella estaba demasiado ocupada con sus escrúpulos como para servir de guía.

Cuando por fin él estuvo, también sin ropa, tendido a su lado, ella pronunció un alerta honesto, un necesario aviso a la población: «Soy virgen». Fabián se limitó a susurrar en su oído: «La virginidad no es un estado saludable, ¿lo sabías?» A ella le causó gracia aquella salida extemporánea, sonrió como para sí misma y sólo entonces terminó aflojándose, disfrutando las caricias y acariciando.

9.

Fabián y Carmela se sentían a gusto en su nueva conjunción. Sin embargo, había una contradicción que compartían. Una contradicción llamada Juliana. Por un lado la añoraban y por otro eran conscientes de que su casi imposible regreso complicaría su relación naciente. ¿Pero cómo abrir o cerrar la puerta del futuro? En cada opción había ventajas y desventajas.

«Soy feliz contigo, pero a veces no me soporto», confesaba Carmela. Fabián sabía el porqué pero de todos modos preguntaba. «Pienso en Juliana», decía ella. «Juliana no está, Juliana se fue y no está», decía él sin demasiada convicción. Tenía sus motivos para esa incertidumbre: cuando hacía el amor con Carmela, pensaba en Juliana; cuando abrazaba el cuerpo tan joven de Carmela, añoraba el cuerpo más maduro de Juliana. Y Carmela era consciente de esa sustitución. Paradójicamente, el consecuente sinsabor se convertía para ella en un incentivo, en un nuevo grado de excitación erótica.

En los fines de semana, cuando el tío y el hermano de Carmela volvían del campo, Fabián no hacía sonar el llamador de bronce del 12-A. Se quedaba a trabajar en la pensión Brescia. En uno de esos domingos de rutina familiar, Carmela había informado, como al pasar y sin darle mayor importancia, de la presencia de Fabián en San Jorge. «Por problemas de trabajo», agregó precavida. Los hombres no hicieron ningún comentario. Bien le constaba a Carmela que nunca habían visto a Fabián con simpatía. Siempre habían atribuido a su influencia el hecho de que Juliana se comprometiera en una militancia absurda, misteriosa, y en consecuencia le hacían responsable, directo o indirecto, de su inexplicable desaparición.

En la pensión, la habitación de Fabián había ido adquiriendo un aspecto más o menos hogareño y tanto la dueña como el personal de servicio le otorgaban un trato familiar. Él aprovechaba los fines de semana sin Carmela, para escribir los artículos que enviaba a un diario montevideano, cuya ideología no compartía y que le pagaba miserablemente, pero al menos le permitía sobrevivir. El horno no estaba para bollos. Es cierto que ya no había censura oficial y confesa, como en los doce años de dictadura, pero seguía existiendo la extraoficial e inconfesa que ejercían los responsables de cada periódico, señores que se curaban en salud.

Teniendo en cuenta su pasado mediato y algo tenebroso, Fabián se limitaba a comentarios literarios, reseñas de libros y enfoques lo suficientemente medidos como para que nadie requiriera su ficha y su historial. Aún sobrevivían impugnadores vocacionales para quienes Kafka, Svevo o Baudelaire podían ser corruptores de las nuevas hornadas, y también nuevas hornadas «posposmodernistas», creadoras de un nuevo género, la crítica con odio, que lo ignoraban todo acerca de Henry Miller, puede que algo pornógrafo pero con genio, y en cambio

eran fanáticos alabanceros de Bukowsky y Lyo-
tard, a quienes tampoco habían leído.

Fabián sabía que no podía quedarse mucho tiempo en San Jorge sin viajar a Montevideo y pasar por la redacción del diario, a fin
de que al menos el responsable de Cultura fuera
consciente de su presencia autoral y no lo tratara
como a un fantasma de segunda. Por otra parte,
la única manera de cobrar sus magras regalías era
comparecer en la apelotonada administración,
no sin antes lograr el visto bueno y el sello cuadra-
do y violeta estampado por el jefe de Redacción.

De manera que el martes se apersonó en
el 12-A y le comunicó a Carmela que debía irse
a Montevideo por tres o cuatro semanas. Motivo
(o quizá pretexto, rumió instantáneamente Carmela): su trabajo en el diario. Luego, en la cama,
se esfumó la desconfianza y Carmela se sintió
más mujer que nunca. Así, acariciando y penetrando a Carmela-Juliana, y sintiéndose acogi-
do con un amor fresco, regocijado y no obstante
suspicaz, Fabián pensó que quizá no fuera preciso que se quedara tanto tiempo en la capital.

10.

Encontró a Montevideo soleada y con-
currida. Las ciudades con sol suelen ser acoge-

doras. Quizá por eso en el diario lo trataron mejor que de costumbre. Un tal Ferreiro, que era el nuevo responsable de Cultura, se mostró tan entusiasmado con sus artículos que resolvió aumentarle el estipendio.

De pronto Fabián se fijó más detenidamente en el aspecto del nuevo jefe, lo imaginó con diez kilos menos y ante la revelación le dijo en voz baja: «Pero decime un poco, ¿vos no eras Vélez?». Y el otro, no menos cauteloso: «Sí, era. Durante tres años, por cierto bastante moviditos. Pero en realidad nací Ferreiro. Tampoco vos eras Fabián, mi querido Medardo». Rieron con sordina y luego bajaron al café.

Sólo allí Ferreiro se decidió a preguntar: «Y de Melba ¿supiste algo?». Melba había sido el *alias* de Juliana. «Absolutamente nada. No sé si desapareció o la desaparecieron, pero no dejó señas. Nadie sabe nada.» «O sabe y no quiere hablar.» «Todo es posible.»

Evocaron largamente aquella rebelión sin raíces y con muertes. A Ferreiro todavía le quedaba un rescoldo de optimismo, pero no era como para derrocharlo, no era un penacho para exhibir ni siquiera en la intimidad. Así resumió su menguada pero sobreviviente confianza: «Hay que reconocer que, con nuestro miedo, al menos logramos que ellos también tuvieran miedo. Fue una excursión difícil y fracasada, pero

algo quedó ¿no te parece?» A Fabián le parecía
menos. Por lo pronto, había espacios vacíos que
nadie se preocupaba en llenar. De la solidaridad
se había pasado a la indiferencia, con una breve
escala en la compasión. Para Ferreiro, esos espacios vacíos debían llenarse con demandas de
justicia, con educación universal, con defensa
de soberanía, pero sin armas, sólo con pueblo
en la calle. «Fijáte cómo quitaron en Brasil al
corrupto de Collor de Mello; sin disparar un tiro, sólo con multitudes en la calle. Mirá en In-
donesia: después de tanta guerra, fueron los
estudiantes en la calle los que desalojaron a Su-
harto. Y no te olvides de Chiapas, con esa guerrilla indígena, insólita guerrilla de paz, que sólo
quiere que no la dejen fuera de la Constitución.
A mí me parece que la historia de México se va
a dividir en dos épocas: antes de Chiapas y después de Chiapas. Hay que aprender, Medardo, no tanto de los gobiernos, que enseñan poco
y mal, sino de la gente, que en última instancia
sabe lo que quiere.»

11.

No fueron dos semanas sino tres las que
Fabián debió permanecer en Montevideo, por
problemas familiares más que laborales. Su ma-

dre, viuda desde 1985, no entendía por qué no se quedaba con ella. «Si todavía confiás en que Juliana reaparezca, te vas a anquilosar en esa espera. A los treinta años, tenés toda la vida por delante, pero no te va a ayudar que te entierres en un pueblo sin futuro como San Jorge.» «Allá trabajo más tranquilo.» «¿Trabajo? Articulitos, sólo eso. ¿Cuándo vas a escribir aquella novela que planeaste tan cuidadosamente cuando aún vivía tu padre? Él estaba muy ilusionado con tu futuro de escritor. Un futuro que se quedó en el pasado. En vez de novelista, simple gacetillero. Y no le echo la culpa a Juliana, la pobre, vaya a saber cómo terminó, sino a la política. Fue la política la que pudrió el futuro. Estudiabas agronomía. ¿Y ahora qué?» «Está bien, Lucía (nunca le había dicho mamá). Trataré de enmendarme.» «¿Dónde? ¿En San Jorge?»

12.

A San Jorge, y por supuesto a la pensión Brescia, volvió dos días después de la ríspida charla con su madre. La dueña lo recibió como a un hijo pródigo. Y él armó de nuevo su refugio provisional con apariencia de definitivo. Libros, papeles, esta vez se trajo además su computadora portátil. O sea que estaba completo. Pensó que no era tan desatinada la idea de su madre de que retomara su antiguo proyecto de novela. Después de todo era una historia de fantasmas, que hoy estaban de moda. Sin sábanas, pero fantasmas, que no sólo se esfumaban sino que además comían, se duchaban, corrían, fornicaban, lloraban y reían. Algo así como una humanidad clónica. Es claro que todo eso lo había pensado varios lustros antes de la oveja Dolly. Tenía que ajustar los detalles y la peripecia. Eso después. Ahora debía ocuparse del artículo de rigor. Había que aprovechar que el nuevo jefe era Ferreiro-Vélez, de modo que se despachó a gusto contra el Mercosur y su negativa influencia sobre la cultura de la zona. Almorzó en la fonda del napolitano (ñoquis, claro), volvió a la pensión para una siesta breve, y a media tarde, tras una ducha reparadora, fue a llamar al 12-A, sin imaginar lo que le esperaba.

La puerta no la abrió Carmela sino Juliana. Casi no pudo apreciar cómo lucía, ya que ella lo abrazó con ansia, llorando, casi gimiendo ¿de alegría? Sólo cuando pudo al fin apartarla y darle un pañuelo para ampararla en su llanto, sólo entonces pudo verificar que la Juliana de ahora no era la de siempre. Más delgada, más pálida, menos vital, con manos más afiladas y una tristeza que contaminaba todo el conjunto. Se ubicaron en el patio, frente a la enredadera invasora. Fabián lo asumió como una escena repetida. Aparentemente en la casa no había nadie más.

Se atrevió a preguntar: «¿Y Carmela?». «Carmela se fue», dijo Juliana, ya más tranquila. «Sé que con ella hiciste buenas migas. Te dejó recuerdos.» «Ah. Pero ¿adónde se fue?» «No quiso decírmelo. Sólo que estaba cansada de tantos años en San Jorge, y que, ya que yo había regresado y podía ocuparme del tío y de mi hermano Arnoldo, ella también reclamaba su derecho a desaparecer. ¿Qué podía objetarle yo, después de mi larga ausencia? Así como te lo trasmito, suena como un desquite, pero ella me lo dijo sonriendo, acariciándome la cara, como si se quisiera convencer de que su hermana volvía a existir. Es tan buena Carmela ¿no te parece?» «Sí que lo es», dijo Fabián.

Fueron a la cocina y Juliana encendió la cafetera. Otra escena repetida. Desde atrás, él evocó otro momento semejante y muy cercano, pero esta vez no tuvo el impulso de abrazar. Tomaron el café y Fabián dijo: «Bueno, ahora que te serenaste, contame cómo fue todo, qué pasó, por qué desapareciste». «No, Fabián, no voy a contar nada. Ni a vos ni a nadie. Tampoco voy a inquirir qué sucedió en tu vida durante este tiempo. No quiero saber si tuviste o tenés otra mujer. Creo que lo mejor para ambos es que no indaguemos en nuestros respectivos pasados, no los de antes, que los conocemos, sino los de ahora, que los ignoramos.» «Pero ¿por qué ese misterio? ¿Qué te hicieron? ¿Qué hiciste?» Ella le puso una mano sobre los labios, con la otra cubrió los suyos. «A veces es mejor vivir que revivir.»

Sólo ahora advirtió Fabián que Juliana llevaba puesta la túnica de Carmela. Ella le tomó una mano y lo llevó al dormitorio que había sido de Carmela pero que antes había sido el suyo. «Calmáte, Fabianzuelo», dijo, y empezó a abrirle la camisa hasta quitársela, luego le desabrochó el cinturón, y entonces él decidió quitarse el short. Juliana abrió la túnica blanca de Carmela. Debajo estaba, sin otro impedimento, el cuerpo de Juliana.

Fabián la llevó al lecho y fue ella la que empezó el turno de caricias. Cuando él quiso imitarla y cuando sus manos se fueron deslizando por ese cuerpo que tanto había querido y aún quería, se encontraron de pronto con una profunda cicatriz en el vientre. Sintió que su erección desfallecía y se incorporó a medias. «¿Y esto qué es? ¿Qué te hicieron?» «No preguntes, mi amor, todo es historia vieja, transcurrida, borrada. No preguntes, mi amor. Disfrutémonos. Como antes, como ahora. Por favor, disfrutémonos. Estamos juntos ¿no? Entonces disfrutémonos, mi amor.»

De nuevo se sumió Fabián en ese cuerpo castigado y de a poco fue recuperándose. Sin embargo, en medio del vaivén erótico e incluso del orgasmo a dos voces, Fabián tomó conciencia de que sentía nostalgia de una nueva ausencia, comprobó con angustia que añoraba (y que añoraría para siempre) aquel otro cuerpo, el de Carmela, por él inaugurado. No pudo evitar que en el instante supremo se le escapara ese nombre y que Juliana, que tan obstinadamente se había negado a hablar de su próximo pasado, tuviera de pronto un doloroso acceso al pasado reciente de aquel hombre que la estaba penetrando, como si su cuerpo, el de Melba-Juliana, fuera el cuerpo de otra. Nada menos que el de su hermana, que era sólo Carmela, sin nombre clandestino.

Buzón de tiempo

Buzón de tiempo

En el buzón de tiempo se deslizan
la pasión desolada / el goce trémulo
y allí queda esperando su destino
la paz involuntaria de la infancia /
hay un enigma en el buzón de tiempo
un llamador de dudas y candores
un legajo de angustia / una libranza
con todos sus valores declarados

En el buzón de tiempo hay alegrías
que nadie va a exigir / que nadie nunca
reclamará / y acabarán marchitas
añorando el sabor de la intemperie
y sin embargo / del buzón de tiempo
saldrán de pronto cartas volanderas
dispuestas a afincarse en algún sueño
donde aguarden los sustos del azar

Con los delfines

María Eugenia: Creo que comprenderás por qué no inicio esta carta con «querida mamá», como cuando lo hacía desde la lejanía de mis antiguas vacaciones. A esta altura, vos y yo sabemos (vos lo supiste siempre; yo, tan sólo hace tres años) que no sos mi mamá, como tampoco Pedro Luis era mi padre. Ahora que él murió, me da un poco de pena saber que has quedado irremediablemente sola. Pero mucha más pena me dan mis padres verdaderos. Sé de buena fuente, como vos, que desde un avión los arrojaron al mar y que los arrojaron vivos. Ahora es casi imposible que alguien pueda demostrar que sí o que no, pero yo me inclino a creer que sí, ya que la comprobada saña de los amigos de Pedro Luis, aunque todavía nos desconcierte y nos repugne, fue algo real.

Durante el primer año de mi llegada a la casa de mis abuelos, todavía a veces soñaba contigo y con él, y no podía evitar un último estremecimiento de cariño. Entonces no sabía toda la verdad. Pero ahora, cuando Pedro Luis se me aparece en sueños, me despierto en plena náusea y casi siempre tengo que ir al baño a vomitar. Contigo es un poco distinto, ya que en cierto modo también fuiste víctima: te metieron en el escarnio sin molestarse en pedir tu consentimiento.

Ahora que reconstruyo nuestros ambiguos quince años de vida en común, puedo rememorar la extraña mirada que en ciertas ocasiones (cada vez con menos frecuencia) me dedicabas; una mirada que entonces sólo me provocaba extrañeza, pero que ahora puedo (o tal vez quiero) imaginar que quería decir: «He usurpado el puesto de otra» o «Creo que me quiere pero no lo merezco» o «Algún día me la quitarán». ¿Era así? Por otra parte tengo la impresión de que mi inopinada presencia no sólo no contribuyó a la unión de ustedes dos como pareja, sino que más bien provocó un deterioro que ya no tenía remedio, ya que en el peculiar estilo de nuestra vida en Mendoza, un divorcio o una simple separación era algo por lo menos inadecuado y que jamás habrían permitido los compañeros de armas de Pedro Luis. Pero ¿cómo podían ustedes convivir con un pasado tan miserable? ¿Cómo podían acostarse y hacer el amor (¿o ni siquiera lo hacían?) sabiendo que a un lado y otro de la cama comparecían y los miraban los fantasmas de mis padres verdaderos? ¿Cómo puede desarrollarse normalmente la vida cotidiana sabiendo que se basa en una acción despreciable?

Mis abuelos me quieren, me miman, me hablan de mis padres, tratan de crear en mí un nuevo estímulo para vivir, pero a mis 18 años actuales debo confesarte que mi vida está rota y hay en mis noches otra fantasía recurrente, en la que me arrojo yo también al mar. ¿Por qué? ¿Para qué? Pues para juntarme con mis padres. En el sueño ellos me reciben, muy juntos, con los brazos abiertos, rodeados por delfines solidarios que también se incorporan al festejo. Y cuando por fin me despierto aún permanece en mí la sensación de ternura más nítida de toda mi existencia.

Tengo en mi mesa de noche la foto de mis padres y sé que vengo de ellos y de nadie más. Las zalamerías de Pedro Luis siempre me sonaron a hipocresía y mi memoria no las olvida pero las rechaza. Creo en cambio que tus señales de cariño eran sinceras y las conservo como algo positivo en medio de una situación tramposa. Quizá algún día junte fuerzas para volver a verte, pero por ahora no. Todavía estoy llena de rencores y rencorcitos. Después de todas las comuniones, misas y homilías a que me llevaste, no sólo me he quedado sin padres sino también sin Dios. Me gustaría que me contaras qué le decías a tu confesor. Y sobre todo qué te decía él. ¿Haberse apropiado de una hija de padres desaparecidos y/o asesinados por tu gente, es un pecado mortal o venial? Con quince padre-nuestros y siete avemarías ¿queda limpio el curriculum? No puedo rezarle a un Señor cuyos representantes arropaban cristianamente a los verdugos. Ahora comprendo el llamado en rebeldía del Cristo crucificado: Padre, por qué me has abandonado. Al menos dicen que él resucitó, pero mis padres sumergidos no volvieron. En el mejor de los casos, no están rodeados de apóstoles sino de delfines. Acaso Dios, si existe, no resida allá en lo Altísimo sino en el fondo más hondo de los mares. Y desde allí lo ignore todo, aunque de vez en cuando abra sus branquias y emita bendiciones. No descarto que en alguna de estas noches, yo, que no sé nadar, me decida por fin y me sumerja a buscarlo, así nomás, sin flotadores, pero con la mochila llena de reproches. Y nada más. Un chau. Paulina.

Terapia de soledad

Querido mío: Aquí estoy, en mi isla, que no es exactamente eso, ya que no está rodeada de mar sino de vegetación, de árboles, de campo propiamente dicho. Pero es una isla en un sentido espiritual. Aunque tampoco es eso, ya que estoy rodeada de lejanas presencias y cercanas ausencias, del recuerdo de otros y de las corrientes de mi propia memoria. ¿Te parezco complicada? Puede ser. Bien sabés que de un tiempo a esta parte sentía la necesidad de aislarme, de reencontrarme con mi soledad perdida (¡Marcel Proust viejo y peludo!). Por suerte lo entendiste y te confieso que esa comprensión aumentó mi amor (y también mi respeto) hacia vos. Estoy convencida de que el respeto por la soledad del ser amado es una de las menos frecuentes pero más entrañables formas del amor, ¿no te parece?

Creo que los diez años de bienllevado matrimonio precisaban de esta afirmación de nuestras dos identidades. Es un regalo del destino que seamos tan distintos, algo que nos habilita a descubrirnos casi a diario, a que cada uno celebre en su fuero interno el hallazgo del otro. Esto de «fuero interno» siempre me ha parecido una contradicción gastada, inadecuada e inútil. «Fuero» es tan parecido a «fuera» (ya sé que vienen de etimologías distintas) e «interno» tan cercano a «intimidad». Esa expresión, «fuero interno», ¿habrá querido expresar en sus orígenes una intimidad hecha pública, volcada hacia fuera, o sea lo contrario de lo que hoy significa?

Pero retomo el hilo de mi sabia reflexión. Seré caótica pero no tarada. Una pregunta indiscreta: ¿cómo te sentís sin mí? ¿Rodeado, como es habitual, de trabajo, de amigos leales y desleales, y también de mujeres guapas y guapísimas? Dada esa circunstancia, tendría buenos motivos para mis celos. Pero para mi condena, no soy celosa. Ah, no te ilusiones, puedo serlo. Vos en cambio no tenés ninguna razón para los celos, ya que aquí no estoy rodeada de hombres guapos, sino de pinos, eucaliptus, ranas canoras, amaneceres y crepúsculos, y, en ocasiones, de un silencio nocturno tan compacto que a veces me despierta y hasta me desvela, tan habituados estamos al ruido enloquecedor, cercano o lejano, de las ciudades. Sólo en algunos insomnios me acompañan los grillos, cuya monotonía coral me los confirma como precursores del canto gregoriano. ¿No estarás celoso de los grillos, verdad? Te aclaro que su pequeñez los hace invisibles, así que ni siquiera sé si son guapos (como grillos, claro). Supongo que también entre ellos habrá cánones de belleza; que habrá grillos equivalentes a Robert Redford y otros feos como Peter Lorre.

Lo cierto es que, dormida o despierta, he estado haciendo balance de mí misma. No te voy a contar, por ahora, cuál es el saldo. Para hacerlo, tengo que decírtelo en la cama, desnudo vos y desnuda yo, después de fornicar como Dios manda, mirándote a los ojos para que esos ojos tuyos me vayan comunicando tu respuesta o al menos tu comentario. Todavía creo (te lo dije hace mucho, cuando ya vivíamos juntos pero no habíamos cometido el pecado venial de casarnos) que nuestro mejor diálogo ha sido el de las miradas. Las palabras, consciente o inconscientemente, a menudo mienten, pero los ojos nunca dejan de ser veraces. Si alguna vez he pretendido mentir a alguien con la mirada, los párpados se me caen, bajan espontáneamente su cortina protectora, y ahí se quedan hasta que yo y mis ojos recuperamos la obligación de la verdad. Con las palabras todo es más complejo, pero aun así, si las palabras tratan de engañar, los ojos suelen desmentir a la boca.

Retomando de nuevo el hilo conductor, te diré que la soledad es como un tónico y también una cura de modestia. Un tónico porque, con tanto tiempo y espacio para reflexionar, una va detectando qué sirve y qué no sirve en los recovecos del alma propia. Y cura de modestia, porque en la estricta soledad no tienen cabida los halagos fallutos, ni los mimos a la vanidad, ni siquiera (no es mi caso) el perdón de los confesionarios.

Mi soledad está además poblada de pájaros. Siempre he sido una analfabeta en cuanto a ornitología, de modo que jamás pude ni podré diferenciar el canto de una calandria del de un zorzal, el monólogo de un mirlo del de un jilguero, y en este tramo de mi vida no pienso especializarme en ciencia pajarera, de modo que he decidido ponerles nombres. Verbigracia: a uno de esos cantautores alados lo llamo Fabricio; a otro, Segismundo; a otro, Venancio; a otro más, Rigoberto. Lo cierto es que cuando los llamo por los nombres de mi particular nomenclatura, ellos me responden con una parrafada de trinos.

...Querido: retomo esta carta una semana después de la parrafada de trinos. Ya llevo más de un mes en mi isla verde. Se me ocurre que ya he reflexionado lo suficiente y además he empezado a extrañarte de una forma casi enfermiza. Así como antes sentí la imperiosa necesidad de un aislamiento, ahora tengo una añoranza terrible de tus manos, de tu boca, de tu abrazo, de tu cuerpo en fin. Confío, compañero, que con estos conmovedores llamados no se le vaya a llenar el tafanario (aclaro que este sinónimo de culo lo aprendí ayer) de papelitos, eh.

Llegaré el lunes. Te aviso con tiempo suficiente como para que desalojes de nuestra confortable cama doble a cualquier intrusa y su cuerpo del delito. Te lo digo en broma, claro. O no. Te lo digo en serio. A desalojar, a desalojar, con música de Viglietti. Te anticipo que esta temporada de soledad me ha vuelto muy apetitosa. Besos y besos, de tu NATALIA.

Bolso de viajes cortos

Querida: cuando me fui, cuando por fin decidí irme, porque ya no me era posible convivir con los antídotos del miedo, y sentía que de a poco iba odiando mis esquinas predilectas o los árboles cabeceadores, y ya no tenía tiempo ni ganas de guarecerme bajo la glorieta del barrio Flores, y los amigos de siempre comenzaron a ser de nunca, y había más cadáveres en los basurales que en las funerarias, entonces abrí el bolso de los viajes cortos (aunque sabía que éste iba a ser largo) y empecé a meter en él recuerdos al azar, objetos insignificantes pero entrañables, imágenes sintéticas de lo feliz, letras que juntándose narraban sufrimientos, últimos abrazos en la primera frontera, atardeceres sin ángelus y con tableteos, sonrisas que habían sido muecas y viceversa, desvanecimientos y corajes, en fin, una antología de la hojarasca que el viento de la costumbre no había conseguido borrar de la faz de la guerra.

Con ese bolso de los viajes cortos anduve por allá y más allá, por acá y más acá. De vez en cuando trabajaba con las manos ágiles y los ojos secos, para ganarme el pan, el vino, el techo y el colchón. Sin embargo, con el bolso de viajes cortos no tenía una relación estrecha. Yo era consciente de que dormía en el fondo de un armario, desvencijado por el tiempo y las polillas. Pero ¿a qué enfrentarme con un pasado en píldoras, unas nutrientes y otras envenenadas?

No obstante, algún domingo, cuando la soledad se volvía silencio insoportable, sacaba el bolso del armario y extraía algún recuerdo; sólo uno por vez, para no abrumarme. Así tuve en mis manos un libro que fue de cabecera y que debo haber leído unas veinte veces, pero ahora me metí en varias de sus páginas y no me dijo nada, no me preguntó ni respondió nada, me fue ajeno. Así que lo tiré.

Otro domingo rescaté una foto que se había vuelto sepia y allí estaban varios personajes que ocuparon lugarcitos en mi vida. Dos de ellos estarán quién sabe dónde; uno, se mantiene fiel a sí mismo; tres, encontraron cierta noche una muerte con charreteras; dos más se volvieron con el tiempo finos, elegantes delatores, y hoy gozan del respeto de la amnesia pública. El último soy yo, pero también soy otro, casi no me reconozco, tal vez porque si me enfrento al espejo no estoy en sepia. Después de todo, es una foto acabada, vencida. Así que la tiré.

Otro domingo extraje del bolso un reloj sumergible y antichoque. Es de una buena marca suiza, pero estaba detenido en un crono/símbolo, o sea la hora, el minuto y el segundo, en que abatieron en la calle a Venancio, vos sabés quién es, o sea que ese tiempo fue mi Greenwich. ¿Para qué quiero un reloj que sólo cronometra y fija la desgracia? Así que lo tiré.

Domingo a domingo fui vaciando el bolso: cortaplumas, lapiceras, gafas de sol, recortes de diarios, tranquilizantes, agendas, pasaportes vencidos, más fotos, cartas de amigos y enemigos. La verdad es que todo me fue pareciendo caduco, inexpresivo, callado, inconexo, precario.

Sin embargo, ayer domingo metí otra vez mi mano en aquel pozo del pasado y la mano vino con algo tuyo: tu pañuelo de seda azul, ese que en tres de las cuatro estaciones te rodeaba el cuello lindo, joven, tan amado por mí. Ellos acabaron contigo, y yo estoy insoportablemente solo. Te mataron en vez de matarme a mí. Es duro admitir, carajo, que sos mi muerta suplente.

O sea que esta vez tiraré a la basura mi pobre bolso para viajes cortos y sólo conservaré tu pañuelo azul. Me quedaré contigo para el viaje largo.

La vieja inocencia

Querida Isabel: Me decidí a escribirte porque estamos viejos (al menos yo lo estoy), solos, y con un océano de por medio. Un océano que también es de sucesos, guerras y paces, frustraciones, quereres y desquereres, urgencias y tardanzas. Te escribo porque ahora, aislado y medio tullido, tengo tiempo de sobra para recorrer parsimoniosamente mi curriculum, no el que solemos redactar para entrevistadores y universidades, sino el otro, el verdadero.

Por suerte, he ganado con mi trabajo lo suficiente como para tener un apartamento cómodo y bastante amplio, con estantes llenos de libros que ya no puedo leer, y paredes con varios de los muchos cuadros que dejó mi mujer, pertinaz en su oficio/arte hasta sólo unos meses antes de morir. Son muestras de una técnica correcta, impecable, con imágenes que trasmiten sosiego y se solazan con la veracidad de sus colores. Nunca tuve el valor de confesarle que su pintura no me interesaba y tengo la impresión de que ella (que no era nada tonta) supo captarlo con resignación. Creo, además, que no tuvo el coraje de decirme que mis sesudos ensayos filosóficos la dejaban indiferente. Pero gracias a ese intercambio de discreciones, convivimos y nos quisimos; moderadamente, es cierto, pero nos quisimos. Y no te oculto que su muerte significó para mí, no una catástrofe, pero sí una deshilachada tristeza.

Tuvimos dos hijos que hace diez años se afincaron en Australia, donde fundaron una empresa (en Sidney) y les va bien, o al menos todo lo bien que les puede ir a dos expatriados voluntarios. Allí se casaron, el mayor con una australiana y el menor con una chilena. Me escriben dos o tres veces por año (para mi cumpleaños, para Navidad), pero no volvieron al país, ni siquiera de visita. No se los reprocho: la distancia es enorme y los pasajes cuestan una fortuna. De ellos tengo tres nietos, pero sólo los conozco en fotografías. Parecen lindos y saludables.

A lo largo de tantos años vos y yo hemos vivido recíprocamente ausentes. Ahora voy a cumplir 84 y vos debés andar por los 82 ¿no? ¿Te sentís bien? Sé que tenés una hija y que tampoco está contigo, aunque reside y enseña en Liverpool, de modo que no la tenés tan lejos y me imagino que de vez en cuando atravesará el Canal de la Mancha (sobre todo ahora que hay ferrocarril) para ir a verte. Te preguntarás cómo es que tengo tantos datos sobre vos. Los he ido obteniendo, al compás de los años, gracias a un amigo argentino, Edelberto Ruiz, al que seguramente conocés, ya que al fallecimiento de tu marido quedó como albacea. Fue él quien me proporcionó tu dirección y hasta tu *e-mail,* pero no me entiendo con esas maquinarias, así que he optado por el calmoso ritmo del correo, y ni siquiera le pondré al sobre la etiqueta autoadhesiva de *urgente,* en la convicción de que a nuestras edades ya no hay urgencias.

En realidad, resolví escribirte, después de mucho repasar mi camino, porque llegué a la conclusión de que te debo el momento más feliz y recordable de ese itinerario. Acaso vos también te acuerdes (ojalá), pero por las dudas te transcribiré lo que todavía es capaz de dictarme mi memoria, en cuyas repentinas lagunas es donde se nota especialmente mi edad vetusta (más que en el uso de mi bastón o en el moderado alerta prostático). Por suerte vos te has salvado (hasta ahora al menos) de los caprichos de mi olvido.

Tendrías catorce años. Te recuerdo con toda nitidez, en la misa de los domingos, sentada siempre en la misma fila, nunca de rodillas, como ordenaba el cura, junto a tu madre que sí se hincaba. El pelo castaño te caía sobre los hombros. Yo me situaba (tampoco me arrodillaba) dos hileras atrás. A veces, aprovechando que tu madre rezaba con los ojos cerrados, te volvías y nos mirábamos y nos sonreíamos. Como dos tontos de época.

Sólo después de tres o cuatro semanas de ese juego inútil, una tarde, a la hora de la siesta, nos encontramos al borde de un camino vecinal. No había nadie a la vista y todo surgió espontáneamente. Mi primer saludo fue abrazarte y la primera respuesta tuya fue abrazarme. Sin decir una sola palabra, nos besamos y besamos interminablemente, y como el bosquecito de pinos quedaba tan al alcance, sin ponernos previamente de acuerdo corrimos hacia allí. Además de los pinos había un espeso follaje. Ahí, sobre las hojas, nos estrenamos sexualmente, vírgenes y torpes pero encantados con nosotros mismos. ¿Te acordás ahora? ¿Qué pasó después? ¿Por qué no te volví a ver ni en la capilla ni en el camino vecinal ni en el bosquecito, sitios que fui recorriendo como si fueran una cadena de santuarios? Alguien me dijo que, precisamente el día siguiente a nuestro encuentro, te habías ido con tus padres. ¿Adónde? Nadie tenía noticias. ¿Acaso lo sabías cuando nos amamos? ¿Fue para no desperdiciar la única ocasión de que disponías? ¿O tus padres, fanáticos católicos, se enteraron de algo y decidieron ipsofacto arrancarte de las garras del humilde satanás pueblerino que era este servidor?

Hoy este viejo te hace justicia confirmándote que nunca fue tan feliz como sobre aquellas hojas otoñales y cómplices. Durante esta larga vida que se acerca a su punto final, me he acostado con varias mujeres, pero esas brevísimas relaciones extra conyugales (después de todo, no fueron tantas, meras oportunidades durante algún largo *stage* universitario) significaron muy poca cosa. Desahogos sexuales, qué menos, pero ni siquiera borradores de amor. Es curioso que en nuestro acto inaugural y clandestino no necesitáramos palabras, sólo hablamos con nuestros cuerpos incipientes, inocentes, ajenos a todo sentimiento de culpa, o, en todo caso, gozosos practicantes del mejor de los pecados. Gracias, Isabel, por aquel placer intacto. Gracias por alegrar todavía mi memoria octogenaria. Te abraza, MATÍAS.

La muerte es una joda

Gerardo: ¿qué tal? Estoy en México, Distrito Federal, o mejor dicho DF, para evitar la rima en la prosa, algo que, según recuerdo, figura entre tus alergias de lector. Hace quince días que llegué y tal vez me quede (ya te indicaré más adelante el porqué de esa inseguridad) quince días más. Como siempre que me sumerjo en esta combinación de historia precolombina y contaminación poshispana, ya me desmayé en dos ocasiones (una vez fue en la bañera y otra junto a la cama de este simpático hotel de tres estrellas), sin que nadie acudiera a socorrerme, y al cabo de cinco o diez minutos (no llevo conmigo un desmayómetro) resucité sin mayores consecuencias físicas. Y digo físicas, porque cada vez que me desmayo en México (en otros puntos del planeta sólo me desmayé una vez: a la vista del óleo con los zapatos de Cézanne, pero fue de emoción incontrolada), digo que cada vez que me desmayo en México DF, tengo la impresión de que en el alma me sale una verruga. Vos que sos licenciado en psicología tal vez puedas responderme: ¿existen las verrugas espirituales? Ustedes no las llaman así, ya lo sé, sería demasiado comprensible para vuestros inermes pacientes, pero yo, como no-licenciado en psicología, las llamo verrugas y se acabó.

De esta ciudad, en la que uno tiene la impresión de que vive media humanidad y que siempre está cubierta de humo o de bruma o de neblina, me gusta la gente, ufana y desenvuelta, con un enigmático mohín indígena, habituada al inevitable deterioro de sus pulmones y a la comparecencia pretérita y actual (y casi seguramente venidera) de los vecinos del norte que les robaron buena parte de su territorio. Los yanquis son en México la otra contaminación. Los aman y los odian. Es tan raro, che. Tengo aquí amigos entrañables a los que nunca les digo ni les escribo semejantes pelotudeces, acaso injustas. Sé que no escribís a los amigos (y menos aún a los enemigos), me consta que sos un estreñido postal, pero ahora que la humanidad se ha vuelto cibernauta, podrías agenciarte un modesto Windows 95 (todavía no el 98) para hacernos saber, en uso y abuso del *e-mail,* de tu vida y milagros, de tu tenaz y casi fanática solteronía, de tu siempre actualizada profesión, que tanta atracción ejerce sobre inexpertos catalanes y madrileños. Ya sé que los analistas porteños han copado el mercado peninsular, pero vos te metiste de a poco en ese ruedo casi exclusivo y ya tenés más pacientes (y sobre todo impacientes) que los coleccionados por el viejito Freud en su largo campeonato.

Pero ahora te estampo una consulta en serio, cuya respuesta a distancia confío no genere honorarios, debido 1) a nuestra larga, fecunda y leal amistad, 2) a que los giros bancarios suelen extraviarse, y 3) a que nunca creí demasiado en el psicoanálisis. Carajo, pensarás con toda razón, ¿y entonces para qué me consulta este tilingo? Bueno, en realidad este tilingo te consulta, no como reputado profesional, sino como amigo del alma, alma que en mi caso es más tacaña que mi esqueleto, pero mucho más sabia. La pregunta es la siguiente: ¿a qué altura de la existencia puede aparecer la obsesión de la muerte? Pavada de pregunta ¿no? Te confieso que nunca tuve ese metejón pre mortuorio. Siempre me desenvolví como si fuera eterno, es decir inmorible, un neologismo que me parece más adecuado a mi caso. Nunca padecí esa angustia, mejor dicho, nunca hasta hace dos meses, o sea hasta mis 54 años recién cumplidos, cuando detecté un dolorcito estúpido en mi flanco izquierdo, y, por segunda vez en mi vida (la primera fue a los doce años, cuando tuve la tos convulsa) fui atendido por un médico, quien, tras hacerme varios análisis clínicos y ecografías, me volvió a citar en su consultorio, y allí, tras repantigarse como un gorila en un sofá francamente repulsivo y dedicarme una sonrisa odiosa, me espetó, escuetamente y sin anestesia, que el resultado de tantos exámenes era que yo tenía cáncer, y luego, sin darme ni un minuto de tregua, completó su diagnóstico augurándome que en el mejor de los casos me quedaban unos seis meses de roñosa vida. ¿Qué tal, pibe? Por eso me vine a México DF, ansioso por desmayarme por última vez en tierra de Pancho Villa y del subcomandante Marcos.

Ante semejante futuro ignominioso tal vez te sorprenda el tono bienhumorado y hasta jodón de mi misiva, pero no me creas. Es puro teatro. Desde cualquier ángulo que la mires, la muerte es una joda. En el fondo me siento como un escombro finisecular y prematuro. Te diré que lloro promedialmente cinco horas por noche. A veces seis. Mi última confianza es que en mi próximo desmayo mexicano no me despierte en esta confortable habitación 904 sino a la vera de San Pedro. Porque sigo convencido de que Dios no existe pero San Pedro sí. A la espera de tu carta de consuelo, aquí va un abrazote casi póstumo de tu amigo de siempre y hasta nunca, JUAN ANDRÉS.

Un sabor ácido

Soledad. Es un sabor ácido
del cual unos pocos se enamoran.

ÁNGEL RAMA

Querido don Matías:

Debe hacer un siglo que no sé de usted y que usted nada sabe de mí, pero usted fue y sigue siendo mi maestro, y en una situación como la que estoy viviendo, más solo que un anacoreta, usted ha pasado a ser mi único interlocutor válido.

La soledad es un estado de ánimo, pero puede convertirse en un vicio. Le confieso que, a lo largo de mis treinta y ocho años, las pocas veces que me he quedado sin soledad, la he echado de menos. Le advierto, sin embargo, que no es ése el caso actual. Esta vez la soledad me pesa, como suele pesarle el vicio (el alcohol, la droga) a cualquier adicto.

Al igual que todo lo que cuenta en la vida, también mi soledad arranca de mi infancia. Yo no tuve virtualmente madre, ya que la mía murió en el acto de darme a luz. Mi padre se vio enfrentado a la responsabilidad de ser simultáneamente padre y madre, y el pobre no lo hizo bien. No lo culpo. Por su trabajo debía viajar casi sin interrupción y me dejaba con mi tío, un hermano de mi madre que nunca nos tragó, ni a mi padre ni a mí. Él tenía cuatro hijos, todos varones, y yo era un agregado en esa nómina. Discutían y se peleaban entre ellos, pero en cambio se unían como una pandilla contra mí. Vivíamos en el campo, cerca del río y mi único refugio era escaparme a la orilla, esconderme entre los árboles y arbustos y allí establecer una suerte de natural convivencia con toda la fauna local (terrestre, acuática, aérea) que de a poco se iba habituando a mi presencia casi inmóvil. Después de todo, tanto los árboles como el agua se movían más que yo. Aquella soledad era un deleite. Todavía hoy la recuerdo como una de las más estimulantes etapas de mi vida.

Concurrir desde allí a la escuelita rural era toda una hazaña. Quedaba a quince kilómetros. Nos llevaban y nos traían a los cinco en una forchela desvencijada, y cuando aquella cachila amanecía reumática o baldada, sencillamente faltábamos a clase. Tampoco allí hice amistades duraderas. Los alumnos, por lo común hijos de peones (los hijos de estancieros iban a colegios privados de Montevideo), eran tímidos, retraídos, huraños, cada uno con su modesta soledad, pero sin demasiada conciencia de que la padecían.

Usted hizo su aparición en mi temprana adolescencia. El viejo por fin se dio cuenta (pese a que nunca le presenté mis quejas) de que ni su cuñado ni mis primos iban a contribuir a mi formación, de modo que decidió enviarme a Montevideo, no precisamente a los liceos privados donde estudiaban los hijos de buena familia, sino a un liceo público. Yo disponía de una habitación, pequeña pero confortable, en la casa de una prima de mi padre, cincuentona, flaca y soltera, que vivía sola en el Paso Molino y que me acogió como a una llevadera compañía, sobre todo porque mi padre le pasaba una mensualidad para atender mis necesidades, que no eran demasiadas. Admito que me dejaba tranquilo y si alguna noche yo llegaba tarde no me rezongaba. Pero también debo reconocer que su comida era insulsa y algo escasa; sólo los tallarines le quedaban bastante ricos.

En el liceo sí hice algunos amigos. A lo mejor usted todavía se acuerda de un gordito al que le decían Bochinche; o el flaco Araújo, que era hijo y nieto de milicos; o el petiso Valentín, también llamado el Ñomo, o el moreno Valbuena, que nunca se reía. Éstos eran mi *barra,* para las grandes nimiedades y las pequeñas barbaridades. Después, con el tiempo, aquella piña se fue desmembrando. Bochinche se hizo músico y años después se afincó en México; Valbuena emigró a Cuba, encandilado con la Revolución; el flaco siguió el rumbo castrense de sus

antecesores. Sólo seguí en contacto con el Ñomo, y a veces nos juntábamos para una chu-
rrasqueada o para ir al Estadio.

Sin embargo, para mí lo más destacable
de esa temporada fue conocerlo a usted, no sólo por sus inolvidables clases de Historia sino,
y sobre todo, por su comprensión ante los exa-
bruptos e ingenuidades de aquella muchachada
tan inclemente como heterogénea. Concluido
el liceo, se acabó el estudio. Mi viejo estaba empeñado en que siguiera Derecho («en los tiempos que corren, y en los que correrán, siempre
será bueno tener un abogado en la familia»), y
cuando yo estaba por complacerlo, él murió,
bastante joven aún, en un absurdo accidente de
carretera. Ya sin nadie que me empujara, y asu-
miendo al fin mi primera soledad verdadera, decidí trabajar en cualquier cosa. Y esa cualquier
cosa fue una papelería.

A usted lo veía muy de vez en cuando,
especialmente cuando la soledad se me volvía
insoportable. Le conocía bien sus recorridos
y simulaba encuentros casuales para invitarlo a
un café o una cerveza. Siempre me escuchó con
una atención afectuosa, pero nunca me invitó a
su casa. Eso me dolió y fui de a poco espacian-
do los «encuentros casuales».

Como decía mi viejo, los tiempos co-
rrieron y un día me enamoré. Sabina era linda

y simpática, teníamos gustos y disgustos compartidos. No nos casamos, pero nos fuimos a vivir juntos, en un apartamentito en la Aguada. Me quedé sin soledad, claro. A veces la echaba de menos, pero no era nada grave, porque en términos generales, era bastante feliz. Sabina era buena en la cama y en la convivencia. El problema era que nuestros horarios laborales pocas veces coincidían y sólo teníamos una aceptable vida en común los fines de semana. Y allí hizo aparición mi nuevo vicio: los celos.

Al principio era sólo un malestar. ¿Qué estará haciendo ahora en casa mientras yo trabajo? O, cuando a mi vez yo estaba en casa y ella en su horario laboral: ¿estará realmente en la oficina o andará por ahí, moviéndose entre machos? Entonces, con el menor pretexto, la llamaba por teléfono, pese a que me había dicho que a sus jefes no les gustaba que los empleados recibieran llamadas privadas. ¿Cómo serían después de todo esos malditos jefes que, de lunes a viernes, pasaban seis horas junto a ella, mirándole las curvas?

Los celos se me fueron convirtiendo en una costumbre, pero también en una tortura. Nunca le hice una escena, ni le dejé entrever mis sospechas, pero nuestra convivencia empezó a deteriorarse, y hasta nuestras relaciones sexuales se fueron vaciando de amor.

Cuando esa tensión se me volvió insoportable, opté por una solución que tal vez a usted le parezca ridícula: contraté un detective privado. ¿Qué le parece? No dependía de una agencia, pero, increíblemente, ese detalle me pareció una ventaja.

A los quince días de haberlo contratado, me esperó a la salida del trabajo, fuimos a un café y me dio su informe: «Tómelo con calma, pero lamento informarle que su esposa se encuentra a menudo con un hombre que la recoge en un BMW y se alejan en dirección a Pocitos». No le pedí más detalles, me preguntó si debía seguir la vigilancia y le dije que sí. Volvió a recomendarme que lo tomara con calma. «No vaya a cometer una barbaridad, ¿eh?» Lo tranquilicé, le dije simplemente que su informe confirmaba mis sospechas y que le agradecía su gestión y su eficacia.

No demoré mucho en decidirme. Teniendo en cuenta los problemas de inseguridad que existen aquí y en todas partes, ya hacía tiempo que había adquirido un revólver. Lo tenía bien escondido, ni siquiera Sabina estaba enterada. Al día siguiente, metí el arma en mi portafolio, fui a la papelería y pedí el día libre, con el pretexto de una gestión municipal. Ese día Sabina tenía horario matutino y regresaba a casa a eso de la una y media. Me situé en un zaguán, desde donde podía verla acercarse. Cuando apareció, a las dos menos veinte, fui a su encuentro con el portafolio semiabierto. Todavía no había advertido mi presencia cuando saqué el arma y le hice tres disparos. Sé que murió en el acto. En aquel pesado mediodía estival, no había nadie en las calles. Me alejé corriendo, dos cuadras después trepé a un ómnibus y me bajé al final del recorrido. Fui a refugiarme en lo del Ñomo, que por suerte estaba en casa. A él le conté toda la historia.

Allí estuve una semana. El Ñomo salía y hacía averiguaciones. Al cuarto día vino con una noticia que literalmente me destruyó. El detective me había mentido. Ningún hombre levantaba a Sabina en un BMW. Ñomo recogió de buena fuente la información de que el detective era un individuo con pocos escrúpulos, que explotaba la ansiedad de los maridos celosos, informándoles sobre infidelidades inexistentes a fin de que siguieran encomendándole pesquisas. Por eso trabajaba en forma independiente, ya que ninguna agencia quería desprestigiarse con sus trampas.

El Ñomo trató de conformarme, pero estuve llorando y gimoteando como dos horas. Porque yo a Sabina la quería. Fue entonces que decidí entregarme, porque con esta nueva, lastimosa soledad, no iba a andar huyendo por un mundo de mierda. Después de otros cuatro días, me despedí del Ñomo y salí a entregarme. Pero, eso sí, previamente cumplí un mero trámite: maté al detective. La verdad es que esa muerte no me pesa en la conciencia. Aunque a la hora de hacer justicia, me perjudicó bastante, claro, por aquello de la premeditación, y la jueza, implacable como son las mujeres, me encajó la máxima.

De todas mis soledades, ésta es la peor. Porque es una soledad con nostalgia. Nostalgia de Sabina, claro. La única visita que recibo, una vez al mes, es la del Ñomo. Sería tan lindo que en alguna ocasión, viniera usted con él. Ah, si se decide a venir, tráigame por favor algún libro de historia, pero no de esclavos sino de libertos.

Don Matías, perdóneme esta tristeza. Espero que acepte el abrazo que aquí le mando. Entre reja y reja. EVARISTO.

Contestador automático

—*Usted ha llamado al número 5179617. En estos momentos no podemos atenderle. Si va a dejar un mensaje, hágalo después de escuchar la señal fónica.*

—Éste es un mensaje para Abilio y quien habla es Juan Alberto. ¿Te sorprendés, Abilio? Me imagino que sí. Hace cinco años que no tenías noticias mías. También hace cinco años que no tengo rostro ni cuerpo ni siquiera sombra. Curiosamente, tengo voz. Y con mi voz puedo aún visitarte, rememorarte cosas, acompañarte a pesar tuyo.

El más nítido recuerdo que conservo de vos es el odio de tus ojos azules cuando dirigías el castigo que otros nos propinaban. Esa animadversión tuya, tan exagerada, siempre fue para mí un misterio. Nunca tuve enfrentamientos directos contigo, ni violé a tu mujer ni a tu hija, ni te traicioné, ni siquiera te escupí en la cara, como más de una vez tuve ganas. Vos, en cambio, te infiltraste entre nosotros, y nos fuiste vendiendo, uno por uno, a todos. Destruiste con paciencia nuestras vidas familiares, hiciste lo posible para que siempre tuviéramos presente la amenaza de muerte, como pan cotidiano.

—*Usted ha llamado al número 5179617. En estos momentos no podemos atenderle. Si va a dejar un mensaje, hágalo después de escuchar la señal fónica.*

—Según parece, tu contestador no tiene mucha capacidad. Así que continuaré mientras haya sitio. Le amargaste la existencia a nuestras mujeres y a nuestros hijos. Les hacías escuchar grabaciones con nuestras voces y nuestros aullidos cuando nos picaneaban. No se puede decir que seas un verdugo arrepentido, como ahora han aflorado algunos. Vos eras un ejecutor vocacional. Disfrutabas. Sin embargo, no te guardo rencor. En la dimensión en que ahora floto, el rencor no cabe; más te diría, es inconcebible. No voy a anticiparte cómo es este espacio, tendrás que averiguarlo por ti mismo, cuando te llegue el día, o la noche, como me llegó a mí.

Un aviso. No creas que vas a encontrar a Dios. Ni el tuyo ni el de otros. Hasta ahora han brillado por su ausencia. Con toda tranquilidad, podés dejar de ir a misa. No pasa nada.

Te confieso que en el fondo te tengo lástima. Sé que no podés dormir. Sé también que es tarde para que te arrepientas. Llevás demasiados muertos en el *container* de tu memoria.

No sé si algún otro de tus cadáveres se asomará, como yo ahora, a tu contestador. Y no lo sé porque aquí no nos comunicamos. Somos una congregación de solitarios. ¿Sabías que la muerte es una interminable pradera gris? Te aseguro que no volveré a molestarte. Sí, la muerte es una interminable pradera gris. Una pradera gris. Sin aleluyas. Gris.

Testamento ológrafo

Dejo mis dedos espectrales
que recorrieron teclas, vientres, aguas, párpados de miel
y por los que descendió la escritura
como una virgen de alma desdichada.

SEBASTIÁN SALAZAR BONDY
Testamento ológrafo

1.

Yo, Rogelio Velasco, dejo mis anteojos o lentes o gafas o espejuelos, a mi sobrino Esteban, para que pueda ver el mundo como yo lo he visto, a veces injusto, desarticulado, confuso, y otras veces generoso, ordenado, estimulante.

Recuerdo que vos, Esteban, cuando todavía eras un niño, te calzaste mis anteojos, que yo había dejado sobre la mesa, y de inmediato te los quitaste con inusitada violencia, casi con asco, porque, claro, no se acomodaban a tu visión de entonces. Tal vez ahora tu miopía se corresponda con la mía y ya no arrojes al suelo mis pobres lentes. En realidad, no son los mismos. De aquellos tuve que cambiar uno de los cristales, el izquierdo, como resultado de ese desencuentro. De todos modos, hace como diez años que no me acompañan, pues los olvidé en un taxi. El chofer nunca vino a devolvérmelos, quizá porque el siguiente pasajero (un peso pesado que ascendió al coche cuando yo bajaba) se sentó sobre ellos y los hizo añicos.

Ya sos un hombre, casi un ingeniero, y en todo caso tus rechazos serán hoy más sustanciales. Al parecer, te costó bastante verte involucrado en un amor. Vos lo atribuías, así al menos me lo contaste, a las buenas pero retorcidas intenciones de tu padre, que, preocupado por tu timidez congénita, te depositó en los fláccidos brazos de una prostituta de toda su confianza, para que te iniciara en los placeres y sinsabores de la carne. Creo que de ese estreno de lenocinio sólo te quedaron los sinsabores, ya que nunca le perdonaste a mi cuñado un bautismo tan infortunado. Pasaron muchos años antes de que una mujer te atrajera, y claro, te casaste con ella. Rápida decisión antes de que te invadiera otra vez la repugnancia por un cuerpo ajeno. Menos mal que Maruja se las ha arreglado para acabar con tu apocamiento. Y hasta te ha dado un hijo. Inquieto, pero simpático. Un consejo, no dejes tus anteojos al alcance de Eduardito.

2.

Yo, Rogelio Velasco, divorciado y vuelto a emparejar, nacido en Mercedes hace 65 años, dejo mi cámara fotográfica a mi ex mujer, porque fue con esta Rolleiflex que tratamos de fijar ciertos instantes de nuestra breve bienaventuranza. Todavía guardo algunas de las fotos en una caja de zapatos. Por ejemplo, la del zoo de Buenos Aires, donde estás mirando extasiada a la mona (una orangutana bastante despabilada) que, al verse enfocada por mi cámara, asumió una postura sorprendentemente fotogénica. Salvadas las distancias, traía el recuerdo de la Venus del Espejo.

También están las de la luna de miel. Entre otras, las que nos tomó el solícito camarero en un restaurante de Piriápolis. Además de escandalosamente jóvenes, parecemos felices y tal vez lo fuéramos. ¿Vos te acordás de cuál fue el origen de nuestro distanciamiento? Yo no. Sinceramente, no me acuerdo. Quizá fue un proceso lento. La conquista de la indiferencia también lleva su tiempo. Sin celos recíprocos, que son tan molestos pero que al menos otorgan vigor y sentido a una ruptura. Hoy, tantos años después, siento a veces un poco de nostalgia. Lo curioso es que no te añoro a vos. Más bien echo de menos ciertos lindos momentos que pasamos, cierta paz que edificamos y compartimos. ¿Vos no?

Ahora tengo mi pareja y vos tenés la tuya. No obstante, en mi caso al menos, no es lo mismo. Es una relación cómoda, agradable, estimulante, de diálogo fluido, pero sin inocencia. Ésta es irrecuperable, no admite simulacros ni parodias.

En otra foto estás vos sola, divertida, haciéndome una morisqueta. Reconozco que el humor era un buen ingrediente de nuestra convivencia. Sabíamos burlarnos uno del otro, y también cada uno de sí mismo. Sin dejar heridas. Eso también lo he perdido. Ahora cuando me burlo, hiero, y cuando se burlan de mí, me siento herido. ¿Será que con los años uno se vuelve necio y rencoroso?

La foto que prestigia la colección es una que te tomé en la playa, no me acuerdo cuál. Tu malla (que creo recordar era verde aceituna) es discreta, pero sabías lucir las piernas. Éstas eran —quizá todavía lo son— espléndidas, y vos bien que lo sabías.

3.

Yo, Rogelio Velasco, taquígrafo ya retirado, dejo mi máquina de escribir Underwood, o sea un dinosaurio preinformático, a mi ex colega y buen amigo Eusebio Palma, con quien compartí tantas conferencias de prensa, simposios, congresos, en una época en que los taquígrafos todavía éramos testigos y custodios de la palabra. Ahora los grabadores o magnetófonos o como carajo se llamen, nos han expulsado de los consejos de dirección, de los paraninfos, de los parlamentos, de las aulas magnas. Antes los sistemas a elegir eran el Gregg, el Pitman, el Gabelsberger, el Taylor, y sobre todo el que nosotros practicábamos con entusiasmo, el Marti, insustituible para el español. Ahora en cambio los membretes a elegir son Toshiba, IBM, Sony, Philips, Panasonic, UHER, Geloso, etcétera. Lo nuestro era artesanal, riesgoso, fatigante, sometido a tensiones, presiones y oradores acelerados. A veces se nos perdía una palabra, o una frase completa, o dos ilegibles y casi impronunciables apellidos, con nueve consonantes y dos vocales, y entonces se nos hacía un nudo en la garganta, pero, decíme un poco, Eusebio, ¿qué sucede ahora cuando el grabador se emberrenchina y nos borra media conferencia, y ésta es para colmo de un rector o de un vicepresidente o de un ilustre e irascible visitante? No hay nada tan confiable como la tracción a sangre.

¿Te acordás cuando el Pepe Troncoso apareció por primera vez en la sesión del Consejo con un magnetófono gigantesco, de reciente importación, y nos dijo muy ufano: Hoy éste va a trabajar por mí, agregando luego con una jodida sonrisa: Y a ustedes, pobres esclavos, los veré sofocarse desde mi sosiego. ¿Y te acordás que a los veinte minutos de comenzada la sesión extraordinaria empezó a salir del flamante aparato un líquido verde y pastoso, que fue el preludio de una inefable humareda? El Pepe no sabía dónde meterse y a la noche no tuvo más remedio que humillarse y pedirnos nuestra esforzada versión artesanal. Reconozcamos que después vinieron otros artefactos más confiables, que fueron precisamente los que nos desplazaron para siempre.

Así y todo, caro amico, le debemos a la taquigrafía algunos buenos momentos. Por ejemplo, las giras por todo el Interior que hacíamos con el senador Fresnedo, empeñado en difundir a toda costa su nuevo plan de Educación Física. Nos llevaba con él para que tomáramos versión taquigráfica de sus discursos en apariencia improvisados. Éstos estaban todos cortados por la misma tijera, virtualmente se los sabía de memoria, pero no se le podía trampear, porque si en Tacuarembó agregaba una frase que no había dicho en Durazno y en la versión ya mecanografiada nos atrevíamos a omitirla, de inmediato se daba cuenta y nos insultaba con burocrática unción. Después de su recurrente pieza oratoria, el senador respondía a preguntas del auditorio, y era admirable la desenvoltura con que llenaba sus lagunas y disimulaba su ignorancia.

Pero lo estimulante de esos viajes no era precisamente nuestra condición de oyentes y/o esclavos. Lo estimulante era que con nosotros viajaban unas estudiantes de Educación Física, preciosas y musculosas, que en cada ciudad, después de la intervención del senador, realizaban una exhibición gimnástica que era siempre muy aplaudida. Por supuesto el público masculino aplaudía más el donaire de sus piernas que la habilidad de sus atléticas cabriolas. Mientras ellas se lucían en la barra o en las cuerdas, nosotros traducíamos nuestros signos taquigráficos y casi siempre terminábamos nuestro trabajo al mismo tiempo que ellas su calistenia. Entonces nos íbamos todos (incluso el senador) a bailar en el club social de la localidad. ¿Te acordás o no? ¿No era una maravilla bailar apretaditos con aquellas minas tan perfectas? Todavía no había llegado el apogeo del rock y su insulso distanciamiento, de manera que confiábamos al venturoso y pausado tango nuestro apetito venéreo, que por cierto tenía una nueva oportunidad cuando viajábamos de noche en el amplio autocar y ellas estaban tan agotadas por la gimnasia y el bailongo, que se dormían en los brazos taquigráficos, cobijadas por nuestro insomnio lujurioso. Nunca olvidaré a la más cautivante de esas minas, de cuyas afeitadas axilas subía un Chanel sudoroso que enamoraba mis fosas nasales. No voy a entrar en detalles confidenciales que vos conocés mejor que yo; sólo quería rememorar algunos beneficios marginales de nuestro bendito oficio secretarial.

La vieja Underwood te la dejo como pieza de museo, pero también como homenaje a tu asombrosa velocidad mecanográfica. Nunca olvidaré que escribiendo a máquina siempre fuiste más rápido que en taquigrafía y que incluso ganaste un certamen rioplatense. Curiosamente, sólo alcanzabas esa velocidad con la crepitante Underwood; con otras marcas eras mucho más lento. Vos y ella volaban. Qué envidia. Todavía me dura. Sólo una preguntita adicional: ahora que sos jefe de protocolo, la vieja taquigrafía ¿te sirve para algo? Te confieso que a veces, para no perder la mano, la practico frente a la televisión, sólo para registrar los gazapos de algún ministro.

4.

Yo, Rogelio Velasco, con la salud algo quebrantada y no sé si recuperable, dejo a mi segunda mujer mis brazos y mis piernas, en recuerdo de que con unos y con otras la abarqué y la ceñí, la incorporé a mi territorio, la gocé y logré que me gozara. También le dejo mis rabietas de verdugo y mis caricias de arrepentido; mis hoscas vigilias y mis nocturnos de minucioso amador; la melancolía que me provocan sus ausencias y el cielo abierto que acompaña sus regresos; la garantía de saberla dormida a mi lado y la certeza de que velará mi último sueño.

5.

Yo, Rogelio Velasco, dejo también una canción cadenciosa y pegadiza que mi madre cantaba en la cocina mientras revolvía el dulce de leche casero;

dejo un cristal con lluvia que me ponía alegremente melancólico;

dejo un insomnio con luna creciente y dos estrellas;

dejo la campanilla con la que llamaba a la esquiva buena suerte;

dejo una tijerita de acero inoxidable con la que, a través de los años, me fui cortando tres o cuatro prototipos de bigote;

dejo el cenicero de Murano que recogió sin inmutarse las cenizas de mis frustraciones;

dejo todos mis apodos y mis remordimientos clandestinos;

dejo una ficha de ruleta para que alguien la apueste al treinta y dos;

dejo el relámpago de la memoria, que a veces ilumina los baldíos de mi conciencia;

dejo el cuaderno Tabaré cuadriculado donde fui anotando mis vagos presentimientos;

dejo un ejemplar del Quijote en papel biblia con notas al margen que testimonian mi aburrida admiración;

dejo los gemelos de oro que me regalaron para mi segunda boda y que nunca estrené porque sólo uso camisas de manga corta;

dejo la cadenita de mi pobre perro que murió hace tres años porque no pudo soportar su viudez;

dejo un encuadernado ejemplar de la oda al carajo, única obra maestra del ubicuo bandolero que escribió nuestro himno y el de Paraguay;

dejo el antiguo calzador de mango largo que uso en mis temporadas de lumbago;

dejo mi valiosa colección de arrugadas expectativas;

dejo un cajoncito de cartas recibidas y no contestadas y otro cajoncito con copias de las cartas que no me contestaron;

dejo un termómetro enigmático y maravilloso porque siempre nos fue imposible leer en él la temperatura nuestra de cada día;

dejo la acogedora sonrisa de la preciosa pero intocable mujer de un buen amigo que es campeón de karate;

dejo el único piojo solitario, anacoreta, que ingresó hace doce años en mi geografía corporal y al que ultimé sin la menor piedad ecologista;

dejo un plano muy bonito de Montevideo, recuerdo de una época poscolonial y premoon;

dejo mi horóscopo con sus pronósticos nunca confirmados;

dejo un papel secante con la firma (invertida) de un ministro del ramo;

dejo un caracol gigante, recogido en una playa oceánica, que antes de expirar me miró con la tristeza de su odio salado;

dejo una antena de tv que sólo aportó inéditos fantasmas a mi pantalla;

dejo las ojeras de mi hipocondría y los ardides de mi falso olvido;

dejo un decilitro de ola atlántica que guardo en un frasco verdiazul para que no extrañe;

dejo un sueño erótico y su verdad desnuda, por cierto inalcanzable en la arropada vigilia;

dejo una bofetada femenina, injusta y perfumada;

dejo una patria sin himno ni bandera pero con cielo y suelo;

dejo la culpa que no tuve y la que tuve, ya que después de todo son mellizas;

dejo mi brújula con la advertencia de que
el norte es el sur y viceversa;
dejo mi calle y su empedrado;
dejo mi esquina y su sorpresa;
dejo mi puerta con sus cuatro llaves;
dejo mi umbral con tus pisadas tenues;
dejo por fin mi dejadez.

Las estaciones

Las estaciones

Están en mí las estaciones
como si fueran una sola
las cuatro siempre están en mí
son cuatro franjas de un abismo
desde la aurora hasta el ocaso
la lluvia el verde el sol el viento
sin desvelarme están en mí
son la misión recién nacida
y son los muertos de mi mundo
mis escondidas estaciones
me hacen feliz / sufren en mí
cada una de ellas tiene un cielo
y cada cielo es un espejo
que habla de todos y de mí
las estaciones se congregan
se reconocen y se abrazan
las cuatro siempre están en mí
soy su fervor sus hojas muertas
su granizada sus cosechas
su puerta abierta sus candados
su insolación sus aguaceros
como un destino están en mí
las estaciones se entreveran
para mezclarse con mi vida
para juntarse con mi muerte
y finalmente huir de mí

Primavera de otros

Miguel miró sus manos, esas dos manchas blancas que emergían de la oscuridad. Su covacha era la última de ese caserío, ahora, vaya a saber por qué, totalmente abandonado. Le constaba que el último ocupante había regresado a su Fraile Muerto de origen. Miguel heredó el catre, el primus, una linterna sin pilas, dos banquitos desvencijados y un cajón flamante que servía de alacena. Había traído su mate y su termo como único equipaje.

¿Por qué en ese tugurio? Adentro todo era lóbrego, pero afuera había luna. Y silencio. Hoy había mendigado en la placita, junto al monumento. La cosecha había sido de siete pesos y una tarjeta telefónica. Ésta le fue entregada por una chiquilina que le avisó: queda espacio libre para dos o tres llamadas. Después se fue, corriendo.

Un mes atrás, su última llamada había sido para Cecilia: «Me voy, no sé adónde. No te preocupes. Sabré arreglármelas. Sobre la heladera te dejo un adiós». Y el adiós decía: «No soporto el mundo. Quiero hallarme a mí mismo. Por una vez la soledad me es imprescindible. No estoy loco. No desvarío. Cuando esta noche te enfrentes a las noticias de la tele, y veas más esqueléticos negritos de Sudán, pateras con marroquíes que naufragan en el Estrecho, indígenas del Amazonas empujados a su desaparición, cursos básicos de violencia juvenil, así como la incontenible, programada destrucción de la naturaleza, y luego, en el mismo canal o en el contiguo, la soberbia de los gobernantes, demo o autocráticos, casi da lo mismo, exhibiendo sin pudor su fiebre de poder; su indiferencia hacia el prójimo, singular o plural, y asimismo las grandes bóvedas de la Bolsa, con la histeria millonaria de los apostadores; cuando veas todo eso quizá entiendas por qué ya no soporto el mundo. La noción exacta de mi impotencia, de mi incapacidad frente a tanto desastre, de una humanidad que de a poco se suicida, me hace sentir que no tengo el mínimo derecho al bienestar, ni a mi profesión, ni a tu amor, casi diría que no tengo derecho a estar vivo. Pero no te preocupes, no voy a eliminarme. Lo que no quiero para la humanidad, tampoco lo quiero para mí. Pero tengo que irme, borrarme, estar a solas conmigo, tratar de comprender este relajo cósmico, esta catástrofe sin dios, este dolor sin sentido. Tu nombre es una de las pocas palabras con sentido que dejo atrás.

Tal vez mi única tentación de arrepentimiento antes de dar este paso, pero la vencí. Gracias para siempre, Miguel».

Sus propias manos, esas dos manchas blancas en la sombra, son también una constancia de sí mismo. Afuera, bajo la palidez lunar, otras constancias comparecen. Por detrás de la cuarta vivienda, irrumpe un muchacho. Su camisa clara, posiblemente blanca, atrae toda la atención de la luna, pero él se queda inmóvil, a la espera de algo.

El algo esperado llega bordeando la segunda casucha. Es una muchacha, claro. Miguel no alcanza a distinguir su rostro, pero sí que la chica es ágil, y al ver al que espera, camina lentamente hacia él y lo abraza. El *happy end*, piensa Miguel, de un producto hollywoodense de los sesenta. Pero la parejita no es de celuloide. Ahora se dedican a despejar someramente un espacio entre piedras, casi un lecho de césped. Luego empiezan a quitarse mutuamente las ropas. Miguel no puede dejar de mirarlos, asombrado, todavía incrédulo. Pero ellos ignoran que padecen un testigo involuntario y actúan con natural impunidad, como si insistieran en un ritual varias veces cumplido.

Miguel admite que, con el aporte lunar, aquellos dos cuerpos jóvenes, acariciándose sobre el césped, moviéndose en un vaivén tierno, acompasado, penetrándose, permaneciendo luego unidos en un abrazo que seguramente es tibio, pleno, final; Miguel admite que ese conjunto es como una metáfora, pero también un motivo de ser, una explicación primaria que comunica algo a pesar suyo.

Lentamente los muchachos vuelven a sus ropas, se ríen, festejan. Miguel no alcanza a captar qué dicen, pero aparentemente rebosan alegría. Tal vez se trate de una felicidad instantánea, sin futuro, quién puede saberlo. Por fin se alejan, abrazados, y Miguel queda otra vez ensimismado, solo en su desconcierto. Ya no mira sus manos, las introduce en los bolsillos y allí sólo encuentra la tarjeta telefónica.

Entonces se levanta, sale a la noche. Ya no hay luna. Las nubes han decidido cubrirla, al menos por un rato. Camina ocho, diez cuadras, con lentitud, indeciso, como frenándose. Cuando encuentra un teléfono público, se mete en la casilla, introduce en el aparato la tarjeta que le había dado la chiquilina y marca siete cifras. Del otro lado alguien levanta el tubo y él pregunta: «¿Cecilia?».

Nube de verano

De pronto estalló el verano. A Alejo le gustaba pasarlo y repasarlo frente al mar. El vaivén apacible de las olas, siempre repetido y siempre diferente, le fascinaba en todos los febreros. Con las gaviotas de aquí cerca y las toninas de allá lejos, mantenía una provocativa y tierna relación. No así con el mar cuando las aguas se encrespaban y desde la cresta de su oleaje amenazaban la vida terrestre.

A sus quince años, el mar le atraía pero también le daba vértigo. Aún no tenía motivos para suicidarse, pero de todas maneras era un proyecto que no le espantaba. Cuando su hermana Estela decidió eliminarse (tiro en la sien), él sufrió bastante, no tanto por su desaparición sino porque no se lo había dicho, ni siquiera insinuado. En el fondo, durante el velatorio, cuando todos rodeaban acongojados aquel cuerpo joven, él había sentido un poco de envidia. Digamos, de envidia piadosa. No había muchos motivos para vivir con ganas, eso pensaba. Uno era sin duda el mar, pero éste era asimismo un motivo para morir con ganas.

Esta vez los padres, aún no repuestos de la pérdida de Estela (sólo habían pasado dos años), los habían dejado, a él y a su primo Jaime, 18 años, en la casita de la playa. Pero Jaime se iba todos los días al centrito del pueblo, y a veces, de noche, a las discotecas. A menudo intentaba arrastrarlo a esas modestas movidas nocturnas, pero Alejo fue sólo una vez y su aburrimiento había sido colosal. Recordó haber leído, en un libro de Miguel Hernández que sustrajo de la biblioteca del tío Manolo, un poema que se refería a «la soledad de la costumbre». Él había dado vuelta el verso y se sentía cómodo en «la costumbre de la soledad».

Alejo llevaba un diario, con anotaciones casi cotidianas. Cuando al fin se desprendió del panorama acuático, y tras comer un churrasco en la cafetería llamada ramplonamente Pepe's, se retiró a sus cuarteles de verano, abrió la libreta con su diario, y escribió:

«Debo ser un poco raro. No me gusta divertirme. Si a los quince soy así, cómo seré a los treinta. Mamá me mira a menudo como buscando en mí algún rasgo que le recuerde a Estela. Creo que nos parecíamos en los ojos, aunque ella los tenía oscuros y yo verdes. Ah, pero la mirada era la misma. Sólo que ella miraba al Más Allá y yo al Más Acá.

»Para el viejo en cambio soy una incógnita. Siempre lo he desconcertado. Ya que él es ingeniero y ejerce como tal, habría querido que yo siguiera ese rumbo, y con el tiempo me convirtiera en su ayudante y más tarde en su sucesor. Pero yo no me llevo con las matemáticas. Me parecen difíciles y además inútiles. Hay que ver cuántas cosas construyeron los antiguos y hasta los antiquísimos, sin saber la regla de tres compuesta ni siquiera la tabla del nueve. Ya que dicen que uno vive varias vidas, yo debo haber sido secretario privado del hombre de Neanderthal. Para la próxima me postulo como guía turístico en Plutón, un planeta que por lo visto se las trae. Quién sabe cómo será allí la soledad de la costumbre.

»Pero volviendo a la Tierra, tengo la impresión de que a Jaime le atraen más los chicos que las chicas. Allá él. Cada uno es libre de hacer de su recto un chifle. A mí, en cambio, no me atraen ni los unos ni las otras. Bueno, tampoco soy un témpano. Incluso una vez estuve enamorado. Yo tenía 14 y ella 13. Me enamoré porque poseía una piel como de ébano (pero blanco, qué raro ¿no?) y unos brazos como de árbol. Es probable que yo también le gustara. Al menos me dijo una tardecita, a la hora del *Angelus*, que yo tenía ojos de ascua y pies de caricia. No estaba seguro del significado de ascua, y fui al diccionario: "Ascua: pedazo de cualquier materia sólida y combustible que por la acción del fuego se pone incandescente y sin llama". Que mis ojos pudieran ser combustibles, fue para mí una revelación. En cuanto a mis pies de caricia, o sea propensos a acariciar, lo cierto es que a ella nunca la pude acariciar, ni con los pies ni con nada. Cultivaba sus personales métodos de huida, pero éstos no eran corpóreos ni tangibles, sino verbales. Por ejemplo me decía: "Alejo, tenés que comprenderlo: yo soy virgen". Y a mí qué me importaba. Nunca figuró en mi programa despojarla de su maldita virginidad. La habría tocado, eso sí, y hasta besado, por qué no. Pero ella se ponía la virginidad como una armadura. Yo también era (lo soy aún) virgen, y sin embargo no la abofeteaba con esa tontería. Al final me aburrió, o me aburrí, no recuerdo bien. Después de esa experiencia, no me enamoré más. Cuando me atrae alguna piba, antes que nada averiguo (eso siempre se puede saber) si es virgen. Pero a los 13 o 14 casi todas lo son. Fue entonces que decidí inaugurar mi actual etapa de precoz anacoreta.

»Pese a que mi vida es notoriamente breve, debo reconocer que incluye algunos enigmas. No sólo para los demás sino también y sobre todo para mí mismo. Verbigracia: ¿de dónde o de quién habré sacado mi indiferencia frente a los seres y frente a las cosas? A veces me siento como una isla, pero aun así me falta el archipiélago. Veo el mundo como a través de una mampara, no esmerilada sino transparente. Es decir: me entero de todo, pero de nada participo.

»Otro enigma: ¿cómo se explica que, aun viviendo en esta atmósfera privada tan semejante a la tristeza, nunca apele al recurso o al desahogo del llanto? Creo que la última vez que lloré tenía diez años. Y no fue un dolor del alma sino del cuerpo: una moto enloquecida y gigante me aplastó el pie derecho y escapó zigzagueando en el tráfico. Todavía me queda un poquito de renguera. Luego llegarían más ocasiones para el llanto, pero yo me mantuve seco. La más notoria fue sin duda la muerte de Estela, pero esa noche mi desconsuelo era tan tremendo que me olvidé de llorar. Puede que tanta contención sea saludable, pero yo la veo como una carencia. ¿Se habrá agotado el *stock* de mis humildes sentimientos? ¿Será que mis emociones se arrugaron? Continuará en la próxima entrega.»

Alejo depositó la libreta del diario en su cajoncito personal. De nuevo se situó en la realidad de su entorno. Detrás del televisor había una pared con azulejos. Hoy es una de esas noches de obligada juerga, pensó; así que Jaime volverá muy tarde.

Había poco para elegir, así que se sentó en su mecedora predilecta y encendió la tele. Expulsados por el agresivo rectángulo luminoso, los azulejos se sumergieron en la sombra.

Noticias. *Zapping*. Más noticias. *Zapping*. Mediocre programa de preguntas y respuestas. Se le pregunta a los participantes sobre los nombres de los planetas. El más sabio llegó a tres: Tierra, Marte y Júpiter. Otro, menos informado, dijo: Marte y la Luna. *Zapping*. De nuevo noticias. Pero ahora Alejo queda extrañamente enganchado. La pantalla documenta la situación en Sudán. El contraste tiene su gancho. Por un lado muestra las ruinas provocadas por el bombardeo norteamericano. Por otro, una multitud de negros, a punto de morirse de hambre y de sed. Todo en el mismo país. De pronto la cámara enfoca a un negrito esquelético, con brazos y piernas que son palitos y una mirada que no es inquisidora ni humillada ni penosa ni lacerante. Es tan sólo una mirada, y ya es bastante. Entonces el negrito, haciendo un evidente esfuerzo, logra alzar un brazo y su dedo índice señala a la cámara, que se detiene intencionadamente en ese gesto. Al negrito no le quedan fuerzas ni para sonreír al extranjero.

Alejo entiende que aquel prójimo enclenque lo está señalando a él. Entonces comprueba, para su sorpresa, que sus ojos, tras cinco años de sequía, están ahora anegados en lágrimas. Alejo llora y llora, con sollozos y hasta con gemidos. Un llanto incontenible. Y cuando el negrito se va de la pantalla, él sigue llorando. Y tiene la sobrecogedora sensación de que no llora sólo por aquel niño famélico sino también por su hermana muerta y en última instancia por sí mismo. O quizá por el mundo.

Revelación de otoño

Arturo Rosales, 48 años, era músico, primera viola de la Filarmónica. Su mujer, Renata, 43 años, profesora de literatura. Llevaban veinte años de casados, pero no tenían hijos. Llegó un momento en que ambos coincidieron en la sensación de que su trayectoria estaba incompleta; sin niños, su vida familiar era apenas la asunción de dos soledades contiguas. Si nunca habían llegado a los mutuos reproches, era por dos razones: la primera, que se querían con sinceridad, con ternura, y, *last but not least,* que en la cama funcionaban más que aceptablemente; la segunda, que eran conscientes de que nadie era culpable.

A última hora de la tarde siempre coincidían en casa, salvo cuando Arturo tenía ensayo o concierto (las obligaciones docentes de Renata concluían más temprano). En su nomenclátor muy privado, aquel espacio figuraba como «la hora del brindis»: él tomaba uno o dos whiskies y ella un par de martinis, pero era sobre todo el momento de la comunicación intelectual, profesional, artística, ideológica. O sea, el mejor trozo de la jornada.

Arturo solía decir que ejercer de primera viola era una cura de modestia, algo así como ser ciudadano de segunda. El ciudadano musical de primera era sin duda el primer violín. Era a él que el director de orquesta estrechaba la mano cuando la sala estallaba en aplausos.

No obstante, Arturo estaba conforme con su papel secundario, pero imprescindible, y trataba de desempeñarlo lo mejor que podía. Después de haber recorrido con su arco a tantos notables compositores, jugaba a hallar para cada uno de ellos una definición sintética. Por ejemplo: Bach era la exactitud; Vivaldi, la gracia; Beethoven, la nobleza; Brahms, la profundidad; Mozart, la alegría; Mahler, el rigor; Haendel, la devoción; Paganini, el desafío; Stravinsky, la sorpresa.

Por su parte, Renata se divertía con aquella distribución de etiquetas y su contribución al juego consistía en encontrar equivalentes literarios, algo así como complementos al fichero de Arturo. Y como era sólo un pasatiempo personal e irresponsable, no buscaba coincidencias cronológicas ni estilísticas sino más bien espirituales. A Bach, por ejemplo, le asignaba Goethe; a Vivaldi, Torcuato Tasso; a Beethoven, Cervantes; a Brahms, Shakespeare; a Mozart, Voltaire; a Mahler, Dante; a Haendel, San Juan de la Cruz; a Paganini, Molière; a Stravinsky, Apollinaire.

Tenían amigos, con quienes en general compartían posiciones políticas, pero en cambio discutían ardorosamente sobre arte. Vale decir, que llevaban una vida estimulante y plena. Y sin embargo, algo les faltaba.

El día en que el matrimonio Posadas, que tampoco tenía hijos, decidió adoptar un niño y finalmente llevó a cabo ese propósito, los Rosales llegaron a su «hora del brindis» con el tema de la adopción en el orden del día. Durante tres horas bordaron todo un entramado de riesgos y ventajas. Antes de la cena, la adopción fue aprobada por unanimidad: dos votos a favor, ninguno en contra.

No les fue fácil. Hubo varios intentos, pero a menudo acababan en frustraciones. Además, no siempre había suficientes garantías sanitarias. Por fin surgió la posibilidad esperada. Una joven soltera, muy sana, proveniente de la alta clase media, había quedado embarazada, y, pese a las presiones familiares, no había aceptado abortar. El padre, guardián celoso de un honor estrecho, aceptó al fin la decisión por razones humanitarias, pero con la condición de que la criatura fuera dada en adopción a un matrimonio sin hijos, de aceptable curriculum, pero con un segundo, inexorable requisito: que jamás se restableciera ni se conociera el vínculo entre la criatura adoptada y su madre biológica.

A los Rosales la niña les encantó (fue bautizada como Florencia) y en la adopción se cumplieron todos los requisitos legales. Verdaderamente, a Arturo y Renata la incorporación de Florencia les cambió la vida y nunca se arrepintieron de su sabia decisión. Por su parte, Florencia se sentía querida, estimulada y cuidada.

Fieles cumplidores del compromiso contraído, Arturo y Renata nunca le dijeron la verdad. A veces lo discutieron, porque un psicólogo amigo les dijo que, por la salud física y espiritual de un niño adoptado, no era aconsejable que anduviera interminablemente por la vida con la carga de una falsa identidad. Los Rosales comprendían y hasta admitían el planteo, pero tenían un miedo cerval a que semejante revelación se volviera contra ellos y acabaran perdiendo a Florencia. No soportaban un futuro sin ella y hasta encontraban que la muchacha tenía claros rasgos de Arturo y también de Renata. Por lo pronto, le encantaban la música y los libros.

A través de los años, Florencia había ido avanzando limpiamente en su educación. Tanto en la etapa primaria como en la secundaria, siempre había sido una estudiante aprovechada y brillante.

La víspera de sus quince años, estaban los tres en el *living* del décimo piso, con toda la arboleda del Prado que el amplio ventanal les entregaba. Arturo pensó que nunca había conocido un otoño tan espléndido y en el que se pudiera respirar hondo con tanto disfrute. Todavía no se veían muchas hojas secas, pero las que había parecían de oro. Además, era evidente que también los árboles respiraban hondo. Por si todo eso fuera poco, Arturo estaba dispuesto a convertir este otoño en una metáfora de su presente, ya que tanto él como Renata, con sus 63 y 58 años respectivamente, estaban bien instalados en el otoño de sus vidas. Y para colmo, en el ensayo de hoy, la Filarmónica la había emprendido con el luminoso otoño de Vivaldi.

Mientras Arturo disfrutaba con su otoño, Renata se ocupaba de los preparativos de la fiestita de cumpleaños. Cuando Arturo se extrajo a sí mismo del éxtasis otoñal, Florencia fue a sentarse junto a él. Arturo se sintió afortunado como nunca. La acarició con ternura sinceramente paternal y le anticipó que mañana tendría una linda sorpresa.

De pronto Florencia se levantó, y enfrentándose a Arturo y Renata con una sonrisa sin tapujos, dijo lo inesperado:

—Hace cuatro días me enteré de algo que ignoraba acerca de mí misma. Ahora que ya soy grandecita, ¿puedo hacerles una pregunta? ¿Cómo era mi mamá? Eh ¿cómo era?

Arturo y Renata se miraron, como buscando un imposible socorro en el otro. Él no pudo evitar que, muy dentro suyo y a pesar de su pánico, y aunque allí no tenía lugar ninguna primera viola, sintiera los fraseos de *Muchachas en el jardín,* de Mompou. Ella, en cambio, como en un entresueño, se vio leyendo *La sirena varada,* de Casona.

Pero la pregunta se había instalado para siempre en las tres vidas y volvía a sonar con implacable insistencia:

—¿Cómo era mi mamá? ¿No me van a decir cómo era?

El invierno propio

El día en que cumplió ochenta años, el profesor Aníbal Esteban Couto estuvo rodeado de hijos, hijas, nueras, yernos, nietos, sobrinos. Esa amplia unidad familiar lo dejó conforme. En el camino habían quedado su mujer y una hija, y recordarlas le traía sufrimiento, pero las otras presencias compensaban de alguna manera aquel castigo inmerecido.

Cuando llega la hora de que todos se vayan, son apenas las diez. Mañana temprano unos y otros tienen obligaciones: colegios, liceos, oficinas, despachos, universidades, mostradores, computadoras. Él no: la soledad no tiene obligaciones. Ni siquiera la de recoger en el *living* (que después de la tromba familiar se asemeja a las ruinas de Pompeya) los vasos, jarras, copas, botellas, platos, bandejas, fuentes, pocillos, etcétera. Después de todo, mañana le toca venir a Encarna, que tres veces por semana se afana en poner en patológico orden el saludable desorden.

Así que se instala en el estudio, frente a la biblioteca, por cierto impresionante. Durante la reunión con su clan privado, sólo había tomado media copa de champán para acompañar el brindis, pronunciado por el único yerno que le cae bien. Pero ahora elige su vaso personal, de verde cristal de Jena, y se sirve whisky (escocés, etiqueta negra) con tres cubitos de hielo.

La biblioteca es también una familia. Es cierto que él ha pasado largos años preparando clases, cursos, conferencias, seminarios, ponencias, o sea leyendo, con línea y rumbo predeterminados, mientras tomaba notas y confrontaba textos, citas, bibliografías. Siempre echó de menos un espacio de libertad para su vocación de lector; pero lector sin programa establecido, con títulos elegidos al azar y también con el ánimo dispuesto para el disfrute, para el goce ante el talento de los otros.

Nunca se había sentido inclinado a encarar por sí mismo una obra narrativa o poética, ni siquiera un destape autobiográfico, como solían pergeñar algunos de sus colegas universitarios, tan seguros de sí mismos. Su biografía está en él, ni agazapada ni tediosa, y no es ni lo bastante procaz ni lo bastante entretenida como para contársela a los demás.

Ahora, ya jubilado, por fin con todo el tiempo a su disposición, sus ojos no le responden como antes, también envejecieron. Aún puede leer con la ayuda de gafas (hace ocho o diez años le colocaron lentes de contacto y no los soportó), pero se fatiga, le duele la cabeza, se le irritan los ojos, en fin, que no vale la pena.

No obstante, la biblioteca está allí, como un testigo. Desde su mecedora, no alcanza a leer las leyendas de cada lomo, pero a la mayoría de los libros los reconoce por el color o el formato o la encuadernación o el logotipo o también (y en eso es un experto) por sus signos de senectud. No se levanta a confirmar sus presunciones. Más bien le gusta adivinar, y si no acierta, bah, no pasa nada. Es la única gimnasia que le queda.

Como un testigo. Aparte de los diccionarios, hay libros que nunca ha abierto (no son muchos), aunque en su momento los compró con la sana intención de leerlos, pero no les había llegado el turno, siguen haciendo cola. A veces pensaba que quizá en las vacaciones, pero en las vacaciones lo llamaban para cursos de verano, aquí o allá, y de nuevo a preparar textos, clases, seminarios, además de las valijas. Así y todo, siempre le había robado alguna horita al sueño para leer sin esquemas previos.

Al fin de cuentas, la biblioteca es su verdadera autobiografía. Aquí y allá asoman libros que han estado ligados a algún hecho o a algún sentimiento, decisivos o triviales, de su vida. Nunca se decidió a colocar sus miles de volúmenes por orden alfabético de autores, de manera que si lo aluden es desde el caos.

Por ejemplo, *Corazón,* responsable del llanto más importante de su infancia. Y *Madame Bovary.* Cuando Flaubert confiesa que madame Bovary es él, lo entiende perfectamente, ya que también él es madame Bovary. Por si las moscas, nunca ha hecho pública esa identificación.

Y también *El ombligo del mundo.* Es curioso que de esta obra sólo recuerde que pertenece a un poeta ecuatoriano. Es la palabra *ombligo* la que revive en él una peripecia que creía olvidada. Aventura más o menos pueril, durante un viaje profesional a Helsinki. Años cincuenta, ya casado, allí solitario como falso asceta en un invierno despiadado. Por eso mismo, le resultó maravilloso hacer el amor con aquella Venus nórdica (ya no recuerda si noruega, sueca o finlandesa, aunque sí que era eficaz intérprete simultánea) en una habitación del séptimo piso en un hotel (*****) casi elegante, con placentera calefacción y una amplia ventana que registraba, como en una pantalla, el pausado, melancólico descenso de los copos de nieve. Al final de los finales, ella le había anotado sus señas, y él le mandó, ya desde París, una postal que sólo decía: «En homenaje al más lindo om-

bligo del mundo». De ahí lo del título y su re-
miniscencia.

Un tramo más allá está el *Fausto* (no el
de Estanislao del Campo sino el de Goethe).
Reconoce que nunca pudo concluir su lectura.
Su mérito es que lo conecta en la memoria con
una película, tal vez alemana, bastante fáusti-
ca, *El estudiante de Praga,* en la que el protago-
nista hace un pacto diabólico y vende su imagen en el espejo. La había visto al comienzo de
su adolescencia, y por un tiempo, cada vez que
se enfrentaba a un espejo, temía que su imagen no compareciera. Pero sus temores resul-
taron infundados: a la desprevenida, inocente
luna, siempre acudía su rostro de chiquilín so-
brecogido y receloso.

En el otro extremo está *Tiempo de canallas,* tercer tomo de la espléndida trilogía
de Lillian Hellman. Aníbal Esteban reconoce que ella los menciona con nombre y apellido. Siempre le ha envidiado ese coraje, porque
él nunca lo tuvo para nombrar a los canallas
de su tiempo.

Extrañamente, a su mujer no la enamo-
ró con los versos entrañables de Neruda (*20
poemas de amor y una canción desesperada,* tercer estante del cuarto tramo) sino con poemas
de Vallejo (*Obra poética completa,* segundo estante del tercer tramo) que no estaban relacio-

nados con el amor sino con su redoble a los escombros de Durango. Cuando él le había leído, en un tono casi confidencial: «Padre polvo, sandalia del paria, / Dios te salve y jamás te desate, / padre polvo, sandalia del paria», ella tenía sus lindos ojos llenos de lágrimas y entonces él la consoló besándoselos. O sea que besó sus ojos antes que sus labios.

Y está el viejo, gastado ejemplar de *Más allá*, de Quiroga, con un cuento estremecedor, «El hijo», que fue como el anuncio de la muerte de su hija, también accidental, también de un tiro. Han pasado treinta y ocho años y aún no ha logrado asumir ese infortunio. Mientras mueve los labios húmedos para pronunciar una vez más: «Laurita», fija sus ojos en el estante inferior de la biblioteca, donde está *La muerte*, de Maeterlinck. Pese a sus lagunas, su memoria todavía rememora las varias hipótesis del autor acerca de la muerte. Al igual que Maeterlinck, él también se queda con la última.

A pesar de todo, su confesada condición de agnóstico se tambalea cuando medita, tal como si se hallara ante una bifurcación de autopistas: «¿Qué habrá después?». Tras ese indicio de última curiosidad, el profesor Aníbal Esteban Couto siente un cansancio repentino. Cierra entonces los ojos. Probablemente, no volverá a abrirlos.

Colofón

El acabóse

Traje los pies desnudos para entrar en el siglo
esa comarca en clave / todavía ilusoria
vamos a no estrenarla con quimeras exangües
sino con el dolor de la alegría

la realidad se aviene a su acabóse
en cambio la memoria se espabila y se ordena
la frontera está ahí / pródiga en ceros
con hambre sed condenas acechanzas
y nacimientos ávidos / rompientes /
después de todo creemos en tan pocos milagros
que no vale la pena enumerarlos

somos los extranjeros de un siglo que está viejo
pródigo en obsesiones y ruinas y tapujos
hábitos y confianzas y utopías
que hicimos con amor / deshicimos con saña
cuando acabe este siglo y nazca el otro
quizá nos falte el aire envejecido
al que estábamos tan acostumbrados

somos los exiliados en lo nuevo
sin autorización ni privilegios
sueltos en los meandros del azar

con las viejas nostalgias aprendidas
los mejores rencores malogrados
pero con la tristeza refrescante
por imborrable y por conmovedora
que es de nosotros porque fue de otros
de todos y de a uno

el siglo no borró las confusiones
siguen plomizas frágiles mezquinas
con insomnios macizos / fuera de época
los sueños otra vez desmantelados
y la niebla virtual que impide vernos
cara a cara en el tiempo de las paces

cada siglo es un mito o un escándalo
pero sólo al final nos deja atónitos
sin saber qué ocurrió / qué está ocurriendo
qué dejamos atrás en los jamases
cuál es el mundo real / el que se apaga
o el que nos deja el corazón sin dioses

somos los emigrantes / los pálidos anónimos
con la impía y carnal centuria a cuestas
dónde amontonaremos el legado
de las preguntas y perplejidades /
quién nos amputará las discrepancias /
en qué muelle en qué azar en qué crepúsculo
destaparán su siglo los venales
para brindar por íntegros y libres

fuimos los centinelas de la basura fósil
la que echaron al mar / la que olvidaron
y nos espera la basura fresca
la que perdonarán o harán ceniza

cuando despunte el sol de los presagios
no servirá la antigua contraseña
y vos y yo seremos sospechosos
como sobrevivientes del suicidio /

apenas si nos queda un racimo de días
y otro de noches con su cielo en llamas

pronto vendrán los locos del poder
refinados / desleales / un poquito caníbales
dueños de las montañas y los valles
de las inundaciones y los sismos
esos abanderados sin bandera
caritativos y roñosos
traje cartas favores exigencias
para envainar en el buzón de tiempo

de allí saldrán con tímidos destinos
hacia el futuro y sus provocaciones
a la busca de algún inencontrable
sea pozo de amor o cima de odio

en el buzón de tiempo cantan pájaros
baladas de quizás / pronósticos de lluvia

se corresponde la correspondencia
con el censo de miedos y corajes

en el buzón de tiempo las palabras
se fraccionan en sílabas y llantos
otras se juntan como peces
que huyeron de su orilla
y algunas más se reconocen
en las navajas del silencio

tengo los pies desnudos para entrar en el siglo
y el corazón desnudo y la suerte sin alas
vamos a no estrenarlo con quimeras exangües
sino con el dolor de la alegría

Buzón de tiempo se terminó de imprimir en febrero de 2000, en Litográfica Ingramex, S.A. de C.V. Centeno 162, Col. Granjas Esmeralda, C.P. 09810, México, D.F. Cuidado de la edición: Sandra Hussein y Rodrigo Fernández de Gortari.